FRANCIS POULENC

DIALOGUES OF THE CARMELITES

An opera in 3 acts and 12 scenes

Text of the drama by

GEORGES BERNANOS

Adapted to a lyric opera with the authorization of Emmet Lavery; the drama inspired by a novel of Gertrud von le Fort and by a scenario of Rev. Father Bruckberger and Philippe Agostini.

Revised English Version by

JOSEPH MACHLIS

RICORDI

Printed in Italy

137659
ISMN M-041-37659-2

CAST OF CHARACTERS

<table>
<tr><td>The Marquis de la Force</td><td></td><td>Baritone</td></tr>
<tr><td>Blanche, his daughter
(Sister Blanche of the Agony of Christ)</td><td></td><td>Soprano</td></tr>
<tr><td>The Chevalier, his son</td><td></td><td>Tenor</td></tr>
<tr><td>Madame de Croissy, Prioress of the Carmelite Convent
(Mother Henriette of Jesus)</td><td></td><td>Contralto</td></tr>
<tr><td>Madame Lidoine, the new Prioress
(Mother Marie of St. Augustine)</td><td></td><td>Soprano</td></tr>
<tr><td>Mother Marie of the Incarnation
(Assistant Prioress)</td><td></td><td>Mezzo Soprano</td></tr>
<tr><td>Sister Constance of St. Denis
(A very young nun)</td><td></td><td>Light Soprano</td></tr>
<tr><td>Mother Jeanne of the Child Jesus
(Dean of the Community)</td><td></td><td>Contralto</td></tr>
<tr><td>Sister Mathilde</td><td></td><td>Mezzo Soprano</td></tr>
<tr><td>Mother Gerald
Sister Claire
Sister Antoine (Portress)</td><td>Old Nuns</td><td>Choristers</td></tr>
<tr><td>Sister Catherine
Sister Felicity
Sister Gertrude
Sister Alice
Sister Valentine
Sister Anne of the Cross
Sister Martha
Sister St. Charles</td><td></td><td>Choristers</td></tr>
<tr><td>The Father Confessor of the Convent</td><td></td><td></td></tr>
<tr><td>1st Officer</td><td></td><td>Tenor</td></tr>
<tr><td>2nd Officer</td><td></td><td>Baritone</td></tr>
<tr><td>Jailer</td><td></td><td>Baritone</td></tr>
<tr><td>Thierry, a valet</td><td></td><td>Baritone</td></tr>
<tr><td>M. Javelinot, a physician</td><td></td><td>Baritone</td></tr>
</table>

Officials of the Municipality, Officers, Policemen, Prisoners, Guards, Townsfolk.

DIALOGUES OF THE CARMELITES

Dialogues des Carmélites

Opéra en 3 Actes et 12 Tableaux

Texte de la pièce
de GEORGES BERNANOS
porté à l'Opéra avec l'autorisation
de EMMET LAVERY
Cette pièce a été inspirée par une nouvelle
de GERTRUDE Von LE FORT
et un scénario de PHILIPPE AGOSTINI
et du R.V. BRUCKBERGER

Musique de
FRANCIS POULENC
(1953 - 1955)

ACTE I

1er TABLEAU

La bibliothèque du Marquis de la Force. Avril 1789. Porte à deux battants, sur la gauche. Petite porte sur la droite. Vaste cheminée. Fenêtre dans le fond. Mobilier très somptueux et élégant.

(Au lever du rideau, le Marquis somnole dans une vaste bergere)

(Le Chevalier entrant brusquement par la grande porte qu'il laisse ouverte derrière lui.)
céder
p
ff
(reprendre sans frapper)
céder encore
Ped.
Ped.
Le Chevalier
ff
Le C.
Où est Blan_che?
WHERE IS BLANCHE?
(sursautant)
Le Marquis
ff
Le M.
Ma foi, je n'en sais rien, pourquoi dia_ble ne le
MY WORD, YOU STAR-TLED ME! WHY THE DEV-IL DON'T YOU
2
Tempo
f
ff
de_man_dez-vous pas à ses femm's au lieu d'entrer chez moi sans cri_er ga_
THINK OF GO-ING FIRST TO THE MAIDS, IN-STEAD OF BURST-ING IN WITH-OUT A WARN-
p subito
Je vous de_man_de mil_le pardons.
I'M SOR-RY IF I OF-FEND-ED YOU.
_re, comme un turc?
ING, LIKE A TURK?
f
A votre
THERE'S NO
à peine cédé
ff
p subito

p subito
Le M.
âge, il n'y a pas grand mal à être un peu vif, comme il est na_tu_rel au
HARM IN BE-ING SOME-WHAT BRUSQUE AT YOUR TIME OF LIFE, JUST AS IT'S NAT-U- RAL AT
p
3
mf
mien de te_nir à ses ha_bi_tu_des. La vi_si_te
MINE TO BE CALM AND A LIT-TLE MEL-LOW. THE UN-EX-PECT-ED
p
mf
de Mon_sieur votre on_cle m'a fait manquer ma mé_ri_dien_ne, et je m'é_
VIS-IT OF YOUR UN-CLE DE-PRIVED ME OF MY MID-DAY NAP, So I WAS
p
_tais tout à l'heure un peu as_sou_pi, s'il faut tout di_re.
TRY-ING TO RE-LAX A LIT-TLE WHILE, OR MAY-BE DOZ-ING...
mf

Le C.
Le M.
4
mf
Ro _ ger de Damas,
RO — GER DE DA—MAS,
f
Mais ___ que voulez-vous à Blan_che?
BUT ___ WHY DO YOU WANT YOUR SIS—TER?
ff subito
pp
qui sort d'i_ci, a du re_brousser che _ min, deux fois, pour ne pas se
WAS ON HIS WAY. SOON E—NOUGH HE SAW THAT HE MUST TURN BACK, OR HE WOULD HAVE
mf
trou_ver pris dans u_ne gran_de mas _ se de peu_ple. Le bruit court
FOUND HIM—SELF STOPPED BY A MOB OF IN— FU— RIA—TED PEAS—ANTS. I HAVE HEARD
ff
p
qu'ils vont brû_ler l'ef_fi_gie de Ré_veil lon en pla _ ce de Grè_ve.
THAT THEY WILL BURN THE EF— FI— GY OF RÉ—VEIL—LON IN FRONT OF HIS PAL—ACE.
Hé
IN—
mf
ff

5
Le M.
bien qu'ils la brû_lent! Lors_que le vin est à deux sous,
DEED, LET THEM BURN IT. WHEN WINE IS PLEN-TI-FUL AND CHEAP,
on doit bien s'at_tendre à ce que le prin_temps é_chauffe un peu les
YOU MAY WELL EX - PECT THAT SPRING WILL TURN THEIR HEADS AND CAUSE A BIT OF
tê_tes. Tout ce_la pas_se_ra.
TROU-BLE. NEV - ER FEAR... IT WILL PASS!
6
Le C.
Si j'o_sais me per_mettre en vo_tre pré_sen_ce de fai_re
IF I DARED, IN YOUR PRE-SENCE TO PER-MIT MY-SELF TO MAKE A
le mau_vais plai_sant, je ré_pon_drais qu'en ce qui con_cer_ne
RATH-ER FEE - BLE JOKE, I WOULD SUG-GEST THAT YOUR PROPH-E- CY MAY
mf
f
p
m.d.

Le C.
le car_ros_se de ma sœur. vous ris _ quez de n'ê_tre pas trop bon pro-
NOT TURN OUT TOO AC-CU-RATE IN SO FAR AS IT CON-CERNS MY SIS-TER'S
_phè _ te. Da_mas l'a vu, ar_rê _ té par la fou_le, au car_re_four
CAR-RIAGE. DA-MAS, HIM-SELF, SAW THE CAR-RIAGE SUR-ROUND-ED BE-LOW THE ROAD NEAR
7
Bu _ cy.
BU-CY.
Piano m.d. m.g. etc.
Le M.
Le carross' la fou - le par-donnez-moi,
BUT THE CROWD.... THE CAR-RIAGE... IF YOU MUST KNOW,
ce sont là des i - ma - ges qui ont trop sou _ vent han_té mes
THESE ARE THE VI-SIONS THAT SO OF-TEN HAUNT MY TROU-BLED DREAMS AT

Cl.
Tromp. sourd.
etc.
Le M.
nuits. On par_le vo_lontiers aujour_d'hui d'é_meute ou mê_me de ré_
NIGHT. I HEAR A LOT OF TALK OF RE- BEL- LION, SOMETIMES E- VEN RE- VOL-
très léger
_vo_lu_tion, mais qui n'a pas vu la mul_ti_tude en pa_
U - TION! BUT IF YOU'VE NEV- ER WATCHED A CROWD IN FEAR YOU DON'T
_ni_que n'a rien vu...
KNOW WHAT FEAR CAN BE.
Piano
loco
8
Tous ces vi_sa_ges à la bou_che tor_du_e, ces mil_liers
THOSE FRIGHTENED FAC-ES WITH THEIR FEA- TURES CON-TORT- ED... THOU-SANDS AND

loco
Le M.
et ces milliers d'yeux C'é_tait le soir du
THOU - SANDS OF EYES HOW WELL I RECALL THE
Piccolo Flûte
9
commencer p presser, très progressivement
ma_ri_a_ge du Dauphin. Le feu d'ar_ti_fi_ce com_
WED - DING OF THE YOUNG DAUPHIN. EV' - RY-ONE WAS WATCH - ING THE
p léger
Violons
_men - - ce, mais sou_dain des cais_ses de fu_
FIRE - - - WORKS. SUD - DEN - LY SOME ROCK-ETS CAUGHT ON

Trompettes
Le M.
-sées s'en - flam - ment. Voi-là la pa - nique qui s'em - pa-re de la
FIRE AND EX - PLOD - ED. THERE YOU HAD THE PANIC THAT CAN DRIVE A CROWD TO
Violons
tr
fou - le, vo-tre mè-re pous-se le ver - rou de son car - ros - se.
FREN - ZY. YOUR MOTHER QUICK-LY LOCKED THE DOOR OF OU - R CAR - RIAGE. THE
Piano
Le co - cher fouet-te les che - vaux qui s'em - bal - lent.
COACH-MAN TURNED, LASHED THE HORS - ES.. ON - WARD IN FU - RY.

(Le Marquis se cache la tête dans les mains.)
Bois
fff
Le M.
On ar_rê_te le car_ros_se, u_ne vi_tre vole en é_clats.
NOW THE MOB SUR-ROUNDS THE CAR-RIAGE, SEE AT ONCE A WINDOW IS SMASHED.
très long silence
fff
très long silence
10
p
Les sol_dats sur_viennent à temps pour dé_ga_ger le car_ros_se.
JUST IN TIME THE SOL-DIERS AR-RIVED; VAL-IANT-LY CAME TO OUR RES-CUE.
Subito lento ♩= 50
pp
p très librement et très ému
Quelques heu_res plus tard, re_ve_nue en cet hô_tel, vo_tre mè_re mou_rut, en donnant le jour à Blan_che.
IT WAS LAT-ER THAT NIGHT, IN THE STILLNESS OF THIS HOUSE, THAT YOUR DEAR MOTHER DIED, AFT-ER GIV-ING BIRTH TO BLANCHE.
Le C.
mf
Mon_sieur, pardonnez-moi,
MON-SIEUR, YOU MUST FORGIVE ME,
pp très lent

Reprendre le tempo lent
très librement
Le C.
J'aurais dû me douter... U_ne fois de plus, j'ai par _ lé comme un étourdi.
FOR I SHOULD HAVE KNOWN BET-TER... ONCE AGAIN I FEAR THAT I SPOKE LIKE AN UTTER FOOL.
à peine plus vite
Le M.
Bah!__ c'est ma vieille tête qui s'é_chauffe, elle aus _ si, un peu vi - te.
BAH!__ LOOK AT ME_GETTING ALL EX- CI - TED EX - ACT-LY LIKE YOU.
11
mf
m.d.
p
m.g.
(Le Marquis reste songeur)
très gai tout à coup
Mon carrosse est soli_de, les vieux chevaux ne s'étonnent de rien,
BUT MY CAR-RIAGE IS STUR-DY, MY GOOD OLD HORS-ES ARE NEV-ER AF-RAID,
céder un peu
12
Tempo plus vite
m.d.
pp
f
An_toi_ne nous sert depuis vingt ans.
AN-TOINE HAS BEEN WITH US TWEN-TY YEARS
Il ne peut ar_ri_ver à vo_tre sœur
I CAN AS-SURE YOU THAT YOUR DEAR SIS-TER'LL

Le C.
Le M.
p à l'aise et bien expressif
Oh! ce n'est pas pour sa sé_cu_ri _ té que je crains, vous le savez,
OH!, IT IS NOT HER SAFE-TY THAT WOR-RIES ME, — BUT AS YOU KNOW
rien de fâcheux.
COME TO NO HARM.
13
Subito lento
dolcissimo
mais pour son i_ma_gi_na_tion ma _ la _ de.
BLANCHE IS HIGH-STRUNG AND IN-CLINED TO BE MOR-BID.
mf
Blan_che n'est que trop impression_
BLANCHE IS ON - LY SEN-SI-TIVE AND
Subito allegro giocoso ♩= 104
_nable, en ef_fet. Un bon mariage ar_range_ra tout ce_la. Al_lons!
SOME-WHAT INTENSE. A HAP-PY MAR-RIAGE IS REALLY ALL SHE NEEDS. OH COME!
léger
Htb. C.A.
Al_lons! U_ne jo_lie fille a bien le droit d'être un peu crainti _ ve.
YOU KNOW... AN - Y PRETTY GIRL HAS THE RIGHT TO BE JUST A WEE BIT NERV - OUS.
p mordant

Le M.
Pa_tien_ce! Vous au_rez des ne _ veux qui feront les cent mille dia_bles.
BE PA - TIENT! YOU WILL YET HAVE A NEPHEW AS WILD AS TWENTY THOUSAND DEVILS
court
quasi pizz.
14
Le C.
p très tendre
Croy_ez-moi: ce qui met la san_té de Blanche en pé - ril, ou peut -
MARK MY WORD! MORE THAN FEAR EN - DAN -GERS MY SIS-TER'S HEALTH, PER-HAPS
Très lent ♩= 60
ê_tre sa vie, ne saurait ê_tre seule - ment la crainte: c'est le gel au cœur de l'arbre...
EVEN HER LIFE! IT IS NOT FEAR ALONE THAT MAKES HER SUFFER. DEEP WITH-IN SHE'S VER-Y ILL. _
court
Allegro giocoso ♩= 104
Ouais! Vous par _ lez comme un vil_la_geois su_persti_tieux Blan _che me pa_
MY! BUT YOU SOUND EXACT-LY LIKE A SU - PER-STI-TIOUS FOOL. BLANCHE OF-TEN E-
_raît le plus sou _ vent na_tu_rel_le, et parfois même en_jou_é _ e.
NOUGH SEEMS TO BE CHEERFUL AND NAT'RAL SOMETIMES SHE'S EVEN QUITE JOLLY.

très douloureux et intense
Le C.
Oh! sans dou_te, il ar - ri_ve qu'el_le me fasse il_lu_sion à moi-mê_me,
OH! I'M CER-TAIN. THERE ARE TIMES, I MUST AD-MIT, WHEN SHE FOOLS EVEN ME.
15
Très lent ♩= 56
pp
mf
et je croirais le sort conjuré si je n'en lisais toujours la malédic_tion dans son regard.
I'D BE IN-CLINED TO THINK SHE WAS WELL, IF I DID-N'T SEE THE SIGNS OF ILL-NESS SO DEEP WITH-IN HER EYES.
16
Tempo giocoso ♩= 80
très librement
Le M.
Lorsque Blanche et sa gouver_nan_te se_ront i_ci, dans un moment, vous ri_rez de vos an_gois_ses et elle ou_blie_ra les sien_nes.
SOON E-NOUGH WHEN BLANCHE AND HER COM-PAN-ION HAVE COME TO TELL US THEY'VE RE-TURNED YOU WILL LAUGH AT ALL YOUR MIS-GIV-INGS AND SHE'LL FORGET HER OWN.

* Coupure facultative (9 mesures)

(Par la porte ouverte, Blanche paraît assez inopinément pour qu'on puisse se demander si elle a ou non entendu les derniers mots.)
Le M.
mf
-la-ges!
NON-SENSE!
Blanche, vo-tre frère a-vait grande
BLANCHE_ YOUR_ BROTH-ER WAS TER-RIB-LY IM-
- - PURE
17
pp
(m.g. dessus)
Ped. lâchez et tenez avec les pédales
Blanche
pp très doux
Mon - sieur le Chevalier est trop bon pour son petit liè-vre.
MY BROTH-ER IS TOO KIND TO HIS DEAR LITTLE BUNNY RAB-BIT.
Le M.
hâ-te de vous revoir!
PA-TIENT FOR YOUR RETURN.
très doux et tendre
Le C.
Ne ré-pé-tez pas à tout propos u-ne plaisanterie qui n'a de sens que pour nous deux.
YOU SHOULD NOT RE-PEAT AT EV'RY TURN A SE-CRET NICK-NAME THAT MAKES SENSE TO NO ONE ELSE.
f
(s'efforçant de parler avec enjouement)
♩ = 76 p
Bl.
Les liè - vres n'ont pas l'ha-bi-tu-de de pas-ser la journée hors de leur
18
I AS - SURE YOU THAT LAMBS ARE NOT AC-CUS - TOMED TO SPEND AN-Y TIME A-WAY FROM
p

Bl.
gî_te. Il est vrai que je trans_por_tais le mien a_vec moi.__
HOME.– IT IS TRUE THAT I SHOULD HAVE FELT AT HOME IN MY CAR – RIAGE.
p
Mais u_ne simple glace entre cette foule et ma crain_ti _ ve personne m'a pa_
BUT JUST A FRA-GILE WIN-DOW SEP-A-RA-TING FRIGHT-ENED LIT-TLE ME FROM THOSE PEOPLE SEEMED TO
p
céder très librement a Tempo
_ru un moment, je vous as_su_re, u_ne protection bien dé_ri_soi _ re. Je de_
BE, AT THE TIME I CAN AS-SURE YOU, HARDLY VERY AD-E-QUATE PRO-TEC-TION. I MUST
suivre le chant
p
_vais avoir l'air très ri_di _cu _ le
REAL-LY HAVE LOOKED SO VER-Y FOOL – ISH.
Le C.
f
Monsieur de Damas, qui vous a
MON-SIEUR DE DAMAS, WHO SAW YOU
mf

Le C.
vue au car-refour Bu-cy, vient de me di-re qu'à travers vos gla-ces
THERE AT THE CROSSROAD NEAR BUCY, TOLD US WITH PRIDE HOW YOU SAT BY YOUR WINDOW
Blanche
(Librement) très doux
Oh! Monsieur de Da-mas n'a
OH! MON-SIEUR DE DA-MAS, WITH-
vous fai-siez très bon-ne con-te-nan-ce.
LOOK-ING PER-FECT-LY CALM AND COUR-A-GEOUS.
19
pp
♩ = 60
Bl.
sans doute vu que ce qu'il vou-lait voir.
OUT ANY DOUBT, SAW ONLY WHAT HE WISHED.
mf
Ré-el-lement, je faisais bonne conte-
THEN YOU BELIEVE THAT I WAS CALM-AND COUR-
court sec
sf
très doux
-nan-ce? Mon Dieu, il en est peut-ê-tre du pé-ril comme de l'eau froi-de
A-GEOUS? GOOD LORD, ONE JUMPS INTO DANGER JUST THE SAME AS IN-TO THE O-CEAN,
pp très doux et lié
mettre beaucoup de pédale

Bl.
qui d'a_bord vous cou_pe le souf_fle et où l'on se trouve à l'ai_se,
FIRST IT KNOCKS THE BREATH FROM YOUR BODY THEN IT BE-COMES MOST RE-FRESHING
(en s'efforçant de sourire)
(prête à défaillir, elle s'appuie à une chaise)
p morne
dès qu'on y, est en_tré jus_qu'au cou. Cet_te cé_ré_mo_ni_e chez les
AFT-ER YOU'VE GONE IN UP TO YOUR NECK. THIS MORN-ING AT THE CON-VENT THE
très librement
Dames de la Vi_si_ta_tion a é_té très longue et m'a beaucoup fa_ti_gué_e!
SERVICE WAS EXTREMELY LONG. I'M AF-RAID IT LEFT ME COM-PLETE-LY EX-HAUST-ED.
p
Voi_là sans doute pour_quoi je dérai_son_ne. A_vec vo_tre permission, mon
20
THAT IS THE REASON, NO DOUBT, FOR ALL OF MY NONSENSE. AND NOW, WITH YOUR PERMISSION,
pè_re, je vais prendre un peu de re_pos, a_vant le sou_
FA-THER, I WILL GO TO MY ROOM FOR A WHILE AND REST BE-FORE

Bl.
pp
_per. Tiens comme le jour tom_be vi_te ce soir.__
DINNER. MY! IS'NT IT DARK-ER THAN U-SUAL TO-NIGHT.__
pp
8va basse facultatif
(Blanche se dirige vers la porte)
Le M.
f ff
Je di_rais vo_lontiers qu'un o_ra_ge me_na_ce.
I REAL-LY BELIEVE THAT A STORM IS AP-PROACH-ING.
pp f pp
Très calme et très doux ♩= 50
Le C.
pp
Puisque vous vous reti_rez dans votre appartement, demandez tout de suite des flambeaux,
IF YOU REALLY MEAN TO GO TO YOUR A-PART-MENT, PLEASE ASK THE CHAM-BER-MAID FOR SOME CAND-LES.
21
pp très doux
Le C
mf
et n'y restez pas sans compa_gni_e. Je sais que le cré_pus_cu_le vous rend tou_
YOU SHOULD NOT RE-MAIN THERE ALL A-LONE.__ I KNOW THE SHA-DOWS OF THE EVE-NING MAKE YOU UN-
mf f mf

(tres intense)
p subito
Le C.
-jours mé_lan_co _ li _ que. Vous me di_siez, quand vous é_tiez pe _ ti _ te: "Je
EAS- Y AND DES - PON - DENT. WHEN YOU WERE LITTLE HOW OFTEN YOU WOULD TELL ME: "I
f
p subito
Bl.
p
C'est qu'il n'y a ja_mais
YET WE ALL KNOW THERE'S BEEN
(très librement)
Le C.
meurs cha_que nuit pour res_sus_ci _ ter chaque matin!" ING!"
DIE EV'RY NIGHT, ON - LY TO BE BORN A-GAIN NEXT MORN-
22
subito
ff
Bl.
eu qu'un seul ma _ tin, Monsieur le Che_va _ lier: ce_lui de Pâ_ques
ON - LY A SIN - GLE DAY OF RES-UR - REC- TION, THAT OF EAS - TER.
p subito
Bl.
Mais cha_que nuit où l'on entre est cel _ le de la très Sainte A_go _
BUT EV'-RY NIGHT OF ONE'S LIFE IS LIKE THE NIGHT OF THE AGO - NY OF

(sans fermer la porte derrière elle, Blanche sort, laissant le Marquis et le Chevalier interdits.)
Bl.
_nie.
CHRIST
(s'efforçant de se rassurer)
Le M.
Son i_ma_gi_na_
HER FAN-TA-SY IS
23
ppp
8va basse facultatif
_tion va toujours d'un extrême à l'au_tre. Que si_gni_fie ce dernier trait?
AL-WAYS IN FLIGHT, FROM ONE EXTREME TO ANOTH-ER WHAT DID SHE MEAN BY THAT REMARK?
(Le Marquis s'installe dans sa bergère)
(se décidant tout à coup à rompre cette atmosphère lourde)
(pathétique)
long
Le C.
Je n'en sais rien, qu'importe! C'est son regard et sa voix qui vont à l'â_me.
I HARD-LY THINK IT MAT-TERS IT IS HER LOOK AND HER VOICE THAT PIERCE MY HEART.
long
Les che_vaux sont main_te_nant dé_te_lés.
I WON-DER IF THE HORSES HAVE BEEN FED.
24 Allegretto ♩=76
dur
Ped *

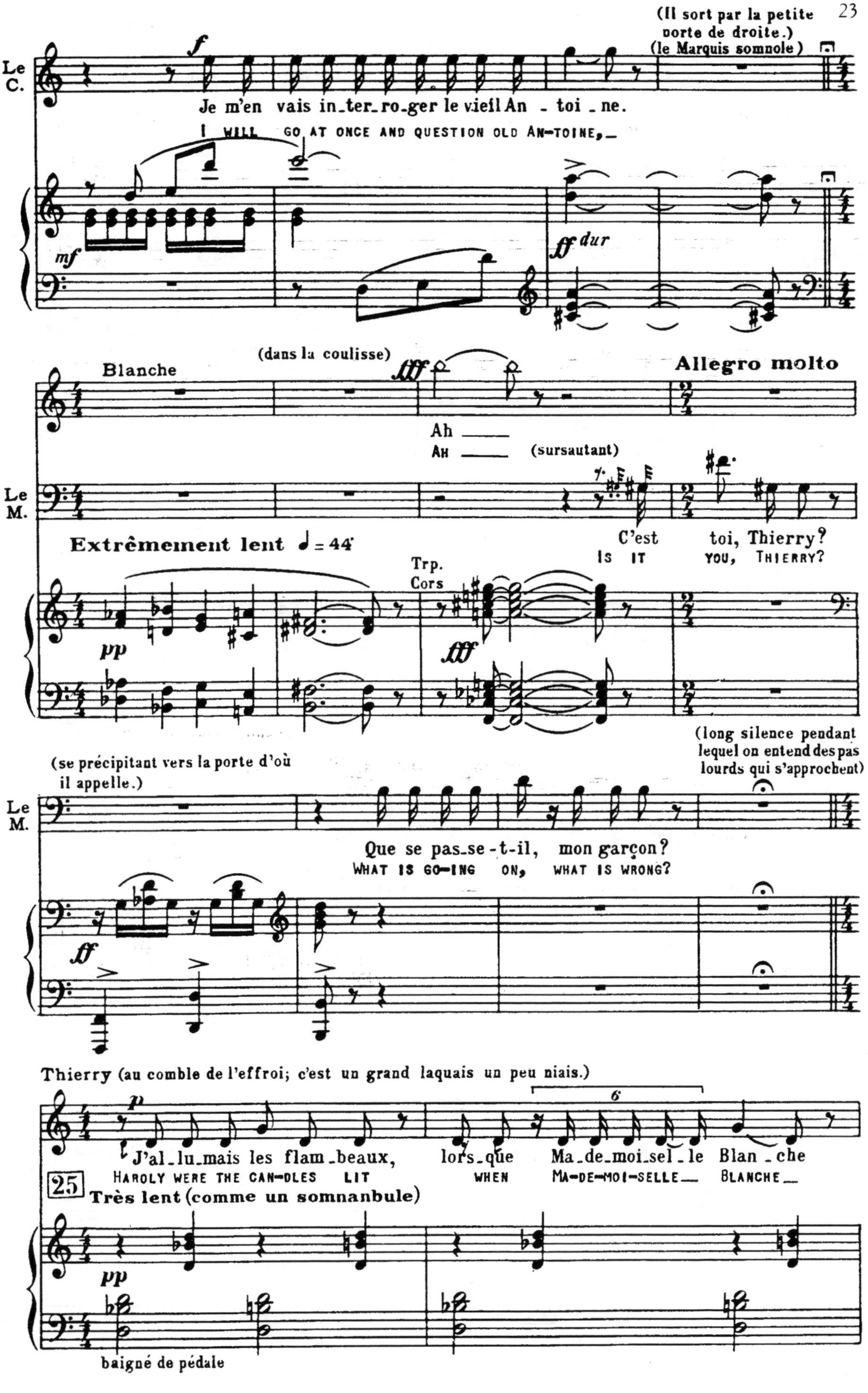
(Il sort par la petite porte de droite.)
(le Marquis somnole)
Le C.
Je m'en vais in_ter_ro_ger le vieil An _ toi _ ne.
I WILL GO AT ONCE AND QUESTION OLD AN-TOINE, _
mf
ff dur
Blanche
(dans la coulisse)
fff
Ah
AH
(sursautant)
Allegro molto
Le M.
C'est toi, Thierry?
IS IT YOU, THIERRY?
Extrêmement lent ♩= 44
Trp.
Cors
pp
fff
(se précipitant vers la porte d'où il appelle.)
(long silence pendant lequel on entend des pas lourds qui s'approchent)
Le M.
Que se pas_se-t-il, mon garçon?
WHAT IS GO-ING ON, WHAT IS WRONG?
ff
Thierry (au comble de l'effroi; c'est un grand laquais un peu niais.)
p
J'al_lu_mais les flam_beaux, lors_que Ma_de_moi_sel_le Blan_che
HARDLY WERE THE CAN-DLES LIT WHEN MA-DE-MOI-SELLE BLANCHE
25
Très lent (comme un somnanbule)
pp
baigné de pédale

Th.
est entré_e dans la chambre... Je pense qu'elle a d'abord vu mon ombre sur le mur. —
CAME UP-STAIRS AND EN-TERED THE ROOM... I THINK SHE WAS FRIGHT-ENED WHEN SHE SAW MY SHAD-OW ON THE WALL —
(Blanche, livide, apparaît sur le seuil de la porte. Sa voix, son attitude, les traits de son visage marquent une espèce de résolution et de résignation désespérée.)
pp
Th.
J'a_vais ti_ré les ri_deaux.
I JUST HAD DRAWN ALL THE CUR-TAINS.
ppp
Blanche
(très intense et
mf
Oh! Mon_
OH! MON-
(s'efforçant d'être enjoué)
Le M.
f
Je vois qu'il n'y a heu_reu_sement rien de gra_ve.
26
MY DEAR, I AM VER - Y GLAD TO SEE IT WAS NOTH - ING.
très lié)
Bl.
f
_sieur, — vous ê_tes le plus in_dul_gent et le plus courtois des
SIEUR, — YOU'VE BEEN IN - DUL-GENT ALL MY LIFE. SUCH A KIND AND LOV - ING
p
mf

Bl.
pè - res...
FA - THER.
long silence
Le M.
Ne par-lons plus de ce pe-tit in-ci-dent.
THIS LIT-TLE IN - CI-DENT CAN NOW BE FOR-GOT-TEN.
long silence
m.d.
Andantino ♩ = 54
(sans traîner)
27
Mon pè - re, il n'est pas d'in-ci-dent si né-gli-gea-ble — où ne s'ins-
DEAR FA - THER, THERE IS NOTH-ING SO SMALL OR UN-IM-POR - TANT — THAT DOES NOT
-crit la vo-lon-té de Dieu — com-me tou-te l'im-men-si-té du
BEAR THE SIGNATURE OF GOD; — JUST AS ALL THE IM-MEN-SI-TY OF
molto
ciel — dans u-ne goutte d'eau. —
HEAVEN — IN ONE SMALL DROP OF WA - TER.
A-vec vo-tre permis-
IF YOU'LL GRANT ME YOUR PER-

Bl.
Le M.
_sion, j'ai dé_ci_dé d'entrer au Car_mel. Je
MIS - SION IT IS MY WISH TO BE - COME A NUN! — (tres intense) I
Au Car_mel!
BE-COME A NUN!
pen_se qu'un tel a_veu vous surprend moins que vous ne vou_lez le lais_ser pa_
THINK THIS DE-SIRE SURPRISES YOU FAR LESS THAN YOU WOULD CARE TO ADMIT AT THIS
_rai_tre.
MO - MENT.
Hé_las! on peut toujours craindre, pour u_ne jeu_ne per_
A - LAS! ONE NEVER SHOULD TRUST WHEN IT CON-CERNS A YOUNG
28
mf subito

(très doux)
p subito
Le M.
_sonne aus_si ver_tu _ eu_se que ma fil _ le, les conseils d'u_ne dé_vo_
WO-MAN WHO IS QUITE AS VIR-TOUS AS MY DAUGHTER, AN - Y STEP TAK-EN IN A
p très doux
ff très rude
_tion ex_al _ té _ e. U _ ne fil _ le moins fiè _ re
MO - MENT OF FER - VOR. IF YOU WERE'NT - SO PROUD
29
rude
(durement)
3
f
ne se tourmen _ te _ rait pas pour un cri. On ne quit _ te pas le
YOU WOULD NOT BE SO DIS - TURBED BY A CRY. ONE SHOULD NOT RENOUNCE THE
ff
(apeurée)
Bl.
p
Je ne mé _ pri _ se pas le mon _ de,
I BEAR THE WORLD NO SPE - CIAL HA - TRED.
mon _ de par dé _ pit.
WORLD BE - CAUSE OF SPITE.
pp

Bl.
le monde est seu_lement, pour - moi, comme un é _ lé _ ment où je ne saurais
FOR ME THE WORLD IS VER - Y STRANGE, LIKE AN A - LIEN PLACE IN WHICH I CAN-NOT
(à bout de souffle)
vi _ vre. Oui, mon pè _ re, c'est phy _ si _ que_ment
LIVE. YES, DEAR FA - THER I AM QUITE UN - A - BLE
30
que je n'en puis suppor_ter le bruit, l'a_gi_ta_tion. Qu'on é _
TO BEAR THE NOISE... THE BREATHLESS PACE.. THE FEARFUL STRAIN. IF MY
_pargne cette épreuve à mes nerfs, et on ver _ ra ce dont je suis ca _ pa _ ble.
NERVES WERE ON-LY SPARED THE AT - TEMPT, THEN YOU WOULD SEE HOW MUCH I COULD AC - COM - PLISH.

(très ému)
mf
Le M.
Mon en_fant ché _ ri _ e, il n'appar _ tient qu'à vo_tre cons _ cien_ce de dé_ci
MY BE-LOV-ED CHILD, IF THIS IS SO, ON-LY YOUR CON-SCIENCE CAN DE-
p
(Blanche tombe aux pieds de son père, toujours assis dans la bergère.)
Bl.
mf
Oh! mon
DEAR-EST
Le M.
_der si l'épreuve est au-des _ sus de vos for_ces ou non.
CIDE WHETH-ER THIS AT-TEMPT IS MORE THAN YOUR STRENGTH CAN EN - DURE.
pp
Bl.
pè _ re, ces_sons ce jeu, par pi_tié. Oh! par pi _ tié, lais _
FA - THER LET US END THIS GAME, I IM - PLORE! PIT - Y MY GRIEF, AND
f
31
Un poco più mosso ♩= 56
pp
mf
Bl.
_sez-moi croi _ re qu'il est un remède à cette hor _ ri _ ble faibles _ se qui
LET ME HOPE I SHALL FIND SOME CURE FOR THE FEAR AND THE TOR-MENT THAT'S
mf
p
m.d.

Bl.
fait le mal_heur de ma vi _ e! Si je n'es_pé_rais
MAK-ING MY LIFE SO UN-HAP - PY. IF I COULD NOT BE-
32
pas que le Ciel a quelque des_sein sur moi, je mour_
LIEVE THAT OUR LORD IS GUID-ING MY LIFE AND FATE, I WOULD
_rais i_ci, de honte à vos pieds.
DIE OF SHAME RIGHT HERE AT YOUR FEET.
Il est pos_si_ble que
IT'S NOT UN-LIKE - LY THAT
vous ay_ez raison, que l'épreu_ve n'ait pas é_té poussée jusqu'au bout.
YOU'RE EN-TIRE-LY RIGHT WHEN YOU SAY MY AT-TEMPT WAS NOT CAR-RIED TO THE END.

(dans un souffle)
p subito
Bl.
Mais Dieu ne m'en vou-dra pas.
GOD WILL HARD-LY HOLD IT A-GAINST ME.
33
pp
Je lui sa-cri-fie tout,
I GIVE MY LIFE TO HIM,
p subito
pp
Bl.
j'a-bandon-ne tout,
I A-BAN-DON ALL!
je re-nonce à tout,
I RE-NOUNCE IT ALL!
mf
pour qu'il me
MAY HE RE-
substituer
Bl.
f
ren-de l'hon-neur.
STORE ME TO GRACE.
molto
f p
molto
pp
ppp
infiniment doux
Ped. (sans changer)
(Le Marquis, songeur, caresse doucement la tête de Blanche, posée sur ses genoux.)
ppp
pp
sec
Ped. (sans changer)
Noizay, 18 Septembre 53

Dialogues des Carmélites — F. Poulenc

Acte I

(I)

Avant le 2e tableau (No 34) ajouter ceci :
durée totale de l'interlude : 2' 15" x)

x) calculé du baisser de rideau Tableau I au lever du rideau
x) en avançant de deux mesures le lever du rideau indiqué

2e TABLEAU

Quelques semaines après. Le parloir, au Carmel de Compiègne. La Prieure et Blanche se parlent, de part et d'autre de la double grille. Madame de Croissy, la Prieure, est une vieille femme visiblement malade. Au lever du rideau, elle essaie, maladroitement, de rapprocher son fauteuil de la grille.

RIDEAU SPÉCIAL
m.d.
m.g.
m.d.
La Prieure
(très lié)
N'al - lez pas croi - re que ce fau -
DO NOT BE - LIEVE THIS ARMCHAIR IS
p subito
36
m.d.
m.g.
La Pr.
- teuil soit un pri - vi - lè - ge de ma char - ge,
MINE BE-CAUSE OF MY RANK AND PO - SI - TION,
comme le ta - bouret des duches - ses! Hé - las! par chari -
LIKE THE FOOT-STOOL OF A DUCH - ESS. A - LAS! THIS IS THE

La Pr.
-té pour mes chères fil - les qui en prennent si grand soin,
WISH OF MY LOV - ING DAUGH-TERS WHO ARE SO THOUGHTFUL AND KIND,
je voudrais m'y sentir à mon ai - se.
AND IN-SIST THAT I REVEL IN COM - FORT.
Mais il n'est pas fa - ci - le
BUT IT IS NOT ALWAYS EAS-Y
molto
de re-trou-ver d'ancien-nes ha-bi - tu - des de-puis trop long-
TO RE - VIVE ALL THOSE FOR - MER HAB - ITS THAT ONE HAS SO
-temps per - du - es et je vois bien que ce qui devrait être un a-grement ne
LONG DIS- CARD - ED. AND I CAN SEE THAT WHAT SHOULD HAVE BEEN A RE- MARK-A-BLE PLEAS-URE

Blanche
Bl.
pp
Il doit ê - tre doux, ma
WHAT A TRUE DE-LIGHT, MY
37
La Pr.
se-ra jamais plus pour moi — qu'une humi-lian-te nécessi - té.
SEEMS TO BE NOTH-ING FOR ME — BUT A DE-GRADING NE-CES-SI-TY.
pp
Mè - re, — de se sen-tir si a-vancé - e dans la voie du dé-tachement
MOTH - THER, THE KNOW-LEDGE THAT ONE IS SO FAR AD-VANCED— ON THE ROAD OF DE-TACH-MENT
qu'on ne saurait plus re-tourner en ar - riè - re.
THAT ONE FEELS VERY SURE HE CAN NEV-ER RE - TURN.
38
pp
Ma pauvre en-fant, — l'ha-bi - tu-de fi - nit par dé - ta-cher de
O, MY POOR CHILD, IT IS HAB-IT A - LONE THAT CAN FREE US FROM
pp très doux
dessus

subito f
La Pr.
tout. Mais à quoi bon, pour u_ne re_li_gieu _ se, ê _tre dé _
ALL. BUT DOES IT MAKE SENSE FOR AN-Y- ONE OF US TO FIND HER-SELF
subito f
dessus
_tachée de tout, si el_le n'est pas dé_ta_ché _ e de soi-mê _me,
FREED_ OF ALL IF SHE IS NOT AL-SO SET FREE FROM HER-SELF;
(très articulé)
Grande Pause
c'est - à - di_re de son propre dé_ta_chement?
THAT IS TO SAY FROM HER OWN_ DE - TACH-MENT FROM LIFE?
pp
Grande Pause
Blanche
Bl.
subito pp
El_les m'at_
THEY AT-
(rudement)
ff
39
Je vois que les sé_vé_ri_tés de no_tre Rè_gle ne vous effraient pas.
I SEE THE FOR-MI-DA-BLE RULES OF O-UR OR-DER DO NOT SEEM TO FRIGH-TEN YOU

silence
Bl.
_ti_rent.
TRACT ME!-
(très doux)
silence
La Pr.
p
Oui, oui, vous e_tes une â_me gé_né _ reu_se.___
AH, YES.. YOUR HEART- IS GEN-ER-OUS AND NO-BLE.___
silence
pp
pp
court
(très humble)
pp
Vo_tre Ré_vé_ren_ce
YOUR REV'-RENCE COMMANDS___
(brusque)
f
court
Qui vous pousse au Carmel?
WHAT HAS DRAWN YOU TO US?
40
Très calme
court
ff
pp
(résolument)
m'ordon_ne-t-el_le de par_ler tout à fait franchement?
THAT I SHOULD AN-SWER WITH AB-SO-LUTE FRANKNESS?___
f
Hé
VERY
f
Oui.
YES.
ff

Bl.
bien, l'attrait d'u_ne vie hé_ro - ï - que.
WELL, THE QUEST FOR A LIFE THAT'S HEROIC.
(brutalement)
ff
La Pr.
L'at - trait d'u_ne vie hé_ro_ï - que,
THE QUEST FOR A LIFE THAT'S HEROIC?
Più mosso
ff
ou ce_lui d'u_ne cer_tai_ne maniè_re de vi_vre
OR FOR A CER - TAIN MAN - NER OF LIV-ING
qui vous parait, bien à tort,
WHICH YOU BELIEVE-QUITE WRONGLY,
ff
pp
(librement)
de_voir rendre l'hé_ro_ïsme plus fa_ci_le,
WOULD MAKE IT EAS-I-ER FOR YOU TO BE HE-RO-IC
le mettre pour ain_si di_re
WOULD PUT IT, SO TO SPEAK —
pp
Ma Ré_vé_ren_de Mè_re,
MY MOST REV'REND MOTH-ER,
à la por_tée de la main?
IN THE PALM - OF YOUR HAND.
41 Très doux et calme ♩= 46
pp

court
Bl.
par_don_nez moi, je n'ai ja_mais fait de tels cal_culs.
I CAN AS-SURE YOU I HAVE NE-VER HAR-BORED SUCH DE-SIRES.
court
ppp
Più mosso
La Pr.
f
Les plus dangereux de nos calculs sont ceux que nous appelons des il_lusions.
THE MOST DAN-GER-OUS OF OUR DE-SIRES ARE THOSE WE ARE FOND OF CAL-LING OUR IL-LU-SIONS
sff
Bl.
p
Je puis a_voir des il_lu_sions je ne de_man_de_rais pas
IT MAY WELL BE I HAVE IL-LU-SIONS. IF THAT IS SO I SHOULD BE DE-
Très calme
pp
Bl.
mieux qu'on m'en dé_pouil_le.
PRIVED OF THEM FOR-EV-ER.
Très lent (en pesant sur les mots)
La Pr.
ff
Qu'on vous en dé_pouil_le...
YOU SHALL BE DE-PRIVED OF THEM!
pp

Subito allegro ♩= 82
La Pr.
Il fau_dra vous charger seu_le de ce soin, ma fil_le;
THERE IS ONE MORE THING I FEEL THAT YOU SHOULD KNOW, MY DAUGH - TER.
cha_cune i_ci a dé_jà trop à fai_re de ses
EV'-RY-ONE HERE IS EX-TREME-LY CON - CERNED — WITH HER
Poco più mosso ♩= 84
propres il_lusions. Ma fil_le, les bon_nes
PER-SON-AL IL-LU-SIONS. MY DAUGH-TER, ALL THOUGHTFUL
42
gens se de - man - dent à quoi nous ser - vons, et a_près
PEO - PLE MUST ASK THEM-SELVES WHAT IT IS WE SERVE, AND I MUST

La Pr.
tout ils sont bien ex - cu - sa - bles de se le de - man - der.
SAY THAT WHEN THEY ASK THIS QUES - TION, THEY'RE FUL - LY JUS - TI - FIED.
p
m.d.
ff subito
43
commencer mf
Presser (très violent)
Non, ma fil - le, nous ne sommes pas une en - tre - pri - se de
NO, MY DAUGH - TER, NEV - ER WAS THE PUR - POSE OF OUR OR - DER TO
f
p
mor - ti - fi - ca - tion ou des con - ser - va - toi - res de ver -
MOR - TI - FY THE SOUL, NOR DO WE AIM TO SAFE - GUARD HU - MAN
f
(très violent)
ff
- tus, nous sommes des mai - sons de pri - è - re,
VIR - TUE. WE'RE NOTH - ING BUT A HOUSE OF PRAY - ER!
ff

Tempo I° subito
(librement)
La Pr.
la pri_è_re seu_le jus_ti_fi_e notre ex_is_ten_ce;
PRAY'R PROVIDES THE ON-LY VAL-ID REA-SON FOR OUR EX-IST-ENCE.
44
Très calme ♩= 56
pp
qui ne croit pas à la pri_è_re ne peut nous te_
WHO-EV-ER DOUBTS THE FORCE OF PRAY-ER LOOKS ON US AS
pp
f subito
_nir que pour des im_pos_teurs ou des pa_ra_si_tes.
PAR-A-SITES AND MUST RE-GARD US AS RANK IM-POS-TORS.
Plus calme
mf
Si
IF
la croyance en Dieu est u_ni_versel_le, ne faut-il pas qu'il en soit au_
FAITH IN GOD AL-MIGHTY IS U-NI-VER-SAL, SHOULD NOT THE SAME BE TRUE AS WELL OF

(très intense)
La Pr.
mf
-tant de la pri-è - re? Ain - si chaque pri - è - re, fut-ce
FAITH IN GEN-TLE PRAYER? AND SO EACH AND EV'-RY PRAY - ER, E - VEN
45
pp
cel - - - le d'un petit pâ - tre qui garde ses bê - tes, c'est la pri-
THAT OF A LIT-TLE SHEP - HERD WHO TENDS HIS FLOCK IS REALLY THE
3
pp
p
-è - re du genre hu - main. Ce que le pe - tit
PRAY - ER OF ALL THE WORLD. AND WHAT THE LIT-TLE
très long
pp
pâ - tre fait de temps en temps, et par un mou-ve - ment de son cœur,
SHEP-HERD DOES FROM TIME TO TIME, WITH IN - NO-CENT AND TREM-BLING HEART,

(très à l'aise et calme)
Très ralenti
La Pr.
nous de_vons le fai_re jour et nuit. Oh! mon en_fant, il n'est
ALL OF US MUST DO DAY AND NIGHT. OH! MY CHILD, O-UR
46
pp
long
rauque
pas se_lon l'esprit du Carmel de s'attendrir, mais je suis vieille et ma_la_de,
OR-DER DOES NOT LEAN TO-WARDS TEN-DER-NESS AND PIT-Y, BUT I AM OLD AND AIL-ING,
me voi_là très près de ma fin Je peux bien m'at_tendrir sur vous.
I AM NOW AP-PROACH-ING THE END, I CAN AL-LOW MY-SELF TO PIT-Y YOU.
Bl.
Qu'importe, si Dieu me donne la
WHY FEAR THEM IF GOD WILL GRANT ME THE
De grandes épreuves vous attendent, ma fil_le.
THE TRIALS THAT A-WAIT YOU ARE NOT EAS-Y, MY DAUGH-TER
47
Très calme et doux

Bl.
for - ce.
STRENGTH.
molto più mosso
La Pr.
Ce qu'il veut éprouver en vous, n'est pas votre force, mais votre fai -
THE THING THAT GOD DE-SIRES TO TEST IS CER-TAIN-LY NOT YOUR STRENGTH- BUT YOUR
sff
- bles - se.
WEAK-NESS.
Très calme ♩ = 50
(très doux)
pp
Vous pleu - rez?
YOU ARE CRY - ING?
sf ppp
Je pleu - re moins de pei - ne que de joie. Vos pa - ro - les sont du - res, mais je sens que
I'M WEEP-ING NOT FOR SORROW BUT FOR JOY. THO' YOUR WORDS ARE SO HARSH_ YET I FEEL THAT
(presser)
mf
pp sub.
de plus dures en - co - re ne sauraient briser l'é - lan qui me por - te vers vous. Je n'ai
E-VEN IF THEY WERE HARSH-ER, THEY COULD NEV- ER BREAK THE POW-ER THAT DRAWS ME TO YOU I SHALL

céder
Bl.
pas d'autre re_fuge, en ef_fet.
FIND NO OTH-ER RE-FUGE BUT THIS.
Più mosso
ff rude
La Pr.
No_tre Rè_gle n'est pas un re_fu_ge.
BUT OUR OR-DER CAN-NOT BE A RE-FUGE.
pp
Ce n'est pas la Règle qui nous gar_de, ma fil_le, c'est nous qui gardons la Règle.
DO NOT THINK THE OR-DER CAN PRO-TECT US, MY DAUGH-TER, IT IS WE WHO MUST PRO-TECT THE OR-DER.
sff
48
Plus calme et sans dureté
mf
Di_tes-moi en_co_re, a_vez-vous, par ex_traor_di_nai_re, dé_jà choisi votre
WOULD YOU CARE TO TELL ME WHETH-ER YOU, BY SOME STRANGE IN-TU-I-TION, HAVE MADE A CHOICE IN THE
(très essoufflée)
nom de carmé_li_te, au cas où nous vous admettri_ons à la pro_ba_
NAME THAT YOU DESIRE, — IN CASE WE AD-MIT YOU AS A NO-VICE TO OUR
pp

(très doux)
pp
Bl.
Si
La Pr.
pp
_tion?
Mais, sans dou _ te, n'y a _vez-vous jamais pen _sé?
OR - DER?
I AM SURE YOU AL-READY HAVE CONSIDERED THIS.
ppp
fait, ma Mè _ re. Je vou _ drais m'ap_pe _ ler sœur Blan_che de l'A _
49
HAVE, MY MOTH - ER! I SHOULD LIKE THE NAME SIS - TER BLANCHE _ OF THE
pp
ppp
_go_nie du Christ!
AGO - NY OF CHRIST!
(La Prieure sursaute imperceptiblement puis, tranquille et ferme.)
(très librement)
f
Al_lez en paix, ma fil _ le.
GO IN PEACE, MY DAUGH - TER.
RIDEAU SPÉCIAL (très lentement)
50
(Blanche s'agenouille et sort)
Très lent ♩ = 46
p
pp
ppp
3 Octobre 53. Noizay

(II)

Avant le 3e tableau (No 51) ajouter ceci:

(durée totale de l'interlude: 2'50") x)

Assez lentement (même tempo qu'à [51])

x) *jusqu'au lever du rideau* [No 53]

3e TABLEAU

Le tour, à l'intérieur du couvent.

Blanche et une très jeune sœur, Constance de Saint-Denis, prennent les provisions et les objets usuels que la sœur tourière leur passe.

Sr Constance
f
En _ co _ re ces maudi_tes fè - ves!
A -GAIN?__ I'M SO TIRED OF LEN - TILS!
Blanche
54
On
THEY
p
Bl.
dit que les ac_ca_pa_reurs re _ tiennent la fa _ ri - ne, et que Pa_
SAY THE MERCHANTS IN THE TOWN ARE HOARDING ALL THE GRAIN, ___ AND THAT IN
Bl.
_ris va manquer de pain. ___
PA -RIS THERE IS NO BREAD. ___
ff
55
Sr C.
Tiens! voi _ là notre gros fer à re_pas _ ser que nous ré_clamons de_puis si long_
LOOK! WHY HERE'S THE I-RON WE HAD THOUGHT WAS LOST. WE LOOKED EV'-RY-WHERE, BUT WITH-OUT SUC-
mf

S^r C.
temps! Re_gar _ dez comme la poignée en est bien re_gar _ ni _ e.
CESS. COME AND SEE HOW THE HAN-DLE HAS BEEN COV-ERED UP WITH FLAN - NEL.
56
(très gaie)
Nous n'en_ten _ drons plus Sœur Jean_ne de la Di_vine En_fan_ce
NO MORE WILL WE HEAR OUR SIS-TER JEANNE OF THE HO-LY CHILD—
p
mf
(contrefaisant une voix criarde)
cri_er en souf_flant sur ses doigts:____ "C'est-y pos _ si _ ble de
CRY-ING AS SHE BLOWS ON HER FING - ERS, "I BET YOU, NO - ONE COULD
f
ff
57
re_passer a _ vec un fer pa_reil! C'est - y! Je me mords chaque
PRESS AT ALL WITH THIS CONTRARY I-RON! I BET." HOW I USED TO
f

Sr C.
mf
fois la lan_gue pour ne pas ri - re, mais je suis si con_ten_te.
BITE MY TONGUE TO KEEP MY-SELF FROM LAUGHING, YET, HOW I LOVED TO HEAR IT.
mf
(très doux)
p
Ce "C'est - y" me rap_pel_le la cam - pa - gne, et nos
HER "I BET" MADE ME THINK_ OF THE COUN - TRY AND OF OUR
pp
mf
bons vil_la_geois de Til - ly___ Oh! Sœur Blan - che,
GOOD VILLAGE FOLK IN BRE - TAGNE.___ SIS - TER BLANCHE___
58
mf
mf
six semai_nes a_vant mon en_trée en re_li-
SEV -EN WEEKS BE-FORE THE DAY I EN - TERED THIS

Sr C.
-gion, on a fê - té la-bas le ma-ri - a-ge de mon
LIFE, HOW WE EN - JOYED OURSELVES AT MY OLD-ER BROTH-ER'S
frè - re. Tous les pa - y - sans é - taient ras-sem-blés,
WED-DING. ALL THE VIL-LAGE FOLK WERE GATH - ERED TO - GETH - ER.
f
vingt fil-les lui ont présen - té un bou-quet au son des vi-o-
TEN LIT-TLE GIRLS TO PRE-SENT A BOU-QUET. WHILE VI-O- LINS WERE
-lons. Il y eut grand' mes - se, dî-ner au châ - teau,
PLAY - ING, THEN WE WENT TO MASS; DINED AT THE CHA - TEAU,
mf
59

60
Sr C.
et danse tou_te la jour_né_e. J'ai dan_sé cinq contre_
DANCED UNTIL GID-DY FROM EX-HAUS-TION. HOW I WHIRLED, FAST-ER AND
Presser un peu
_dan_ses de tout mon cœur, je vous as_su_re. Ces pauvres gens m'aimaient
FAST-ER, I KNOW I'VE NEV-ER BEEN SO HAP-PY. THOSE SIMPLE PEO-PLE A-
Presser encore
tous à la fo_li_e, par_ce que j'é_tais gai_e et que je sau_
DORED ME TO DIS-TRAC-TION; LOVED ME FOR MY GAI-E-TY AND BECAUSE I
_tais aus_si bien qu'eux.
LOVED THEM IN RE-TURN.
61
Blanche
(durement)
Vous n'avez pas hon_te
AREN'T YOU ASHAMED TO

p subito
Bl.
de par_ler ain_si lorsque no_tre Ré_vé_ren_de Mè - re...
CHAT-TER ON LIKE THIS, WHEN YOU KNOW THAT OUR REV'-REND MOTH-ER...
pp
pp (très doux)
(très clair)
Sr C.
Oh! ma Sœur, pour sauver la vie de no_tre Mè_re, je don_ne_rais vo_lon-
SIS-TER BLANCHE, IF I ON-LY THOUGHT THAT I COULD SAVE HER, THEN WOULD I WILL-ING-LY
62
Très calme ♩= 56
p
pp
-tiers ma pau_vre pe_ti_te vie de rien du tout, oui, ma foi
OF-FER MY POOR LIT-TLE LIFE, SUCH AS IT IS, YES, CROSS MY
oui, je la don_ne_rais. Mais quoi à cin-
HEART, I'D LAY DOWN MY LIFE. BUT WHEN ONE IS
(joyeuse)
f
63
Subito tempo giocoso

Sr C.
-quan - te neuf ans n'est-il pas grand temps de mou - rir?
FIF -TY NINE OR MORE IT'S REAL-LY TIME FOR ONE TO DIE.
64
mf
(durement)
Je ne crois pas...
I DO NOT KNOW...
Bl.
f
Vous n'avez jamais craint la mort?
YOU'VE NEVER KNOWN THE FEAR OF DEATH?
p
mp
si, peut ê - tre... il y a très longtemps, lors-que je ne savais
WELL, A LIT-TLE... BUT VER-Y LONG A - GO WHEN I DID NOT CLEARLY
pas ce que c'é - tait.
KNOW JUST WHAT IT WAS.
Mon Dieu, Sœur
GOOD HEAV'NS! DEAR
Et a - près...
AND— THEN?
mf

Sr C.
mf
f
Blan - che, la vie m'a tout de sui_te pa_ru si a_mu_san_te!
SIS - TER, I REA-LIZED SUD-DEN-LY THAT LIFE WAS SO A-MUS-ING
Je me di_sais que la mort de_vait l'être aussi...
I DE-CID-ED THAT DEATH HAD TO BE THE SAME...
Bl.
Et mainte_nant?
D'YOU THINK SO NOW?
Oh! mainte_nant, je ne sais plus ce que je pen_se de la mort,
OH, AS FOR THAT... NOW I NO LONG-ER KNOW JUST WHAT I THINK OF DEATH,
65
Très calme ♩ = 56
p
(très librement)
mais la vie me pa_raît tou_jours aus_si a_mu_san_te.
BUT IT SEEMS TO ME STILL, THAT LIFE IS VER-Y A-MUS-ING.

Sr C.
J'es_saie de fai_re le mieux pos _ si _ ble ce qu'on me com _ man _ de,
I TRY TO DO AS BEST I CAN WHAT-EV-ER I AM TOLD,
pp
(tres librement)
f
6
mais ce qu'on me comman _ de m'a _ mu _ se... a _ près tout,
BUT I FOUND IT SO VER - Y DE - LIGHT - FUL... AFT - ER ALL,
p
dois-je ê_tre blâmé _ e par_ce que le ser_vi_ce du bon Dieu m'a _ mu _ se?
WHO CAN REALLY BLAME ME IF THE SERVICE OF OUR-GOOD LORD DE - LIGHTS ME?
Blanche
66
Ne craignez-vous point que Dieu se las_se de tant de bonne hu_meur?_
YOU AREN'T A - FRAID THAT GOD WILL GROW RATHER TIRED OF YOUR GOOD HU - MOR?
sf

(enfantin et doux)
S^r C.
pp
Pardonnez-moi, Sœur Blan_che. Je ne peux m'empê_cher de croi_re
SISTER IF YOU'LL EX - CUSE ME.. THO' I KNOW WE ARE FRIENDS I CAN'T HELP
pp
ppp très doux
que vous ve_nez ex_près de me fai_re du mal.
THINKING THAT YOU WERE BENT ON DO - ING ME HARM.
ppp
67
(dur)
Bl.
f
Hé bien, vous ne vous trompez pas... C'est que je vous en_
IN-DEED, IT'S TRUE I EN-VIED YOU. YES, YOU'RE EN - TIRE-LY
f
Vous m'en_viez! Ah! par ex_em_ple,
YOU EN - VIED ME? I CAN'T BE-LIEVE IT!
_viais...
RIGHT.
Subito allegro giocoso ♩= 120
f

Sr.
C.
voi_là bien la cho_se la plus é_tran - ge que j'aie jamais en_tendue!
THIS IS AB- SO-LUTE-LY THE VER-Y STRANG-EST THING THAT I HAVE EV-ER HEARD!
ff
Vous m'enviez, a - lors que je mé_ri_terais d'être fouet_
68
EN-VIED ME? WHEN IT IS CLEAR THAT I DE-SERVED TO BE
p
_té - - e pour a - voir par - lé si lé -
PUN - ISHED FOR HAV - ING SPO - KEN SO
f
gè - re - ment de la mort de no_tre Ré_vé_ren_de
THOUGHT - LESS - LY OF THE DEATH OF OUR BE - LOV -ED REV'-REND
fff
ff
Ped.

(très humblement)
long
pp
p
6
Sr C.
Mè _ re...
MOTH - ER...
Oh! Sœur Blan_che, puisque j'ai si étourdi_
69
OH, DEAR SIS-TER, SINCE I SPOKE THE WAY I
Très calme
long
pp
_ment par_lé tout à l'heu_re, ay_ez la bon _ té de m'ai_der
DID BE - FORE AND RE - GRET IT, WILL YOU BE SO KIND AS TO HELP ME
3
à ré_pa _ rer ma fau _ te. Mettons-nous à ge _ noux et of_
TO_A - TONE FOR MY BE-HAV - IOR ? LET US KNEEL_ AND PRAY, WE WILL
70
Très calme et doux ♩ = 56
pp très enveloppé
_frons nos deux pauvres pe_ti_tes vi_es pour cel_le de sa Ré_vé _ ren_ce.
OF - FER BOTH OF OUR POOR LITTLE LIVES FOR THAT OF OUR REVEREND MOTH-ER.

Sr C.
Bl.
(brusquement)
C'est un en_fan_til_la_ge...
THAT IS TER-RI-BLY CHILD-ISH...
Oh! pas du tout, Sœur Blan_che.
OH! NOT AT ALL, DEAR SIS-TER.
pp
Je crois vraiment que c'est une ins_pi_ra_tion de l'â_me.
REAL-LY I THINK IT SUCH AN EN-CHANT-ING IN-SPI-RA-TION.
(ricanant)
Vous vous moquez de moi...
YOU'RE MAK-ING FUN OF ME...
L'i_dée m'est ve_nue tout à coup, je ne pen_se pas
IT CAME TO ME ALL OF A SUD-DEN, I DO NOT THINK
qu'il y ait là au_cun mal.
THAT IT WOULD DO AN-Y HARM.
71
sempre p
J'ai toujours souhai_té mourir jeu_ne.
I'VE AL-WAYS WANT-ED TO DIE VER-Y YOUNG.

(très doux)
Sr C.
Bl.
(feroce)
Qu'ai-je à fai-re dans cet-te co-mé-die?
TELL ME WHY MUST I LIS-TEN TO THIS NONSENSE?
Hé bien! la premiè-re fois que
HOW STRANGE! THE VER-Y FIRST TIME I
je vous ai vue, j'ai com-pris que j'é-tais ex-au-cé-e.
LOOKED AT YOUR FACE, I JUST KNEW THAT MY WISH HAD BEEN GRANT-ED.
Ex-aucée de quoi?
TELL ME WHAT YOU MEAN?
De...
THAT...
Posez ce fer ri-di-cu-le, et répondez-moi, je vous
PUT DOWN THAT RI-DIC-U-LOUS I-RON! AN-SWER ME AT ONCE, DO YOU
prie.
HEAR!
Hé bien... j'ai com-pris que Dieu me fe-rait la grâ-ce de ne
I WILL... I HAVE AL-WAYS KNOWN THAT GOD WOULD BE KIND-ER THAN TO
72

Sr C.
pas me laisser vieillir, et que nous mourrions en - semble, le même jour
LET ME GROW OLD AND THAT WE WOULD DIE TO - GETH-ER THE SAME - DAY.
p
73 (librement, très gai)
f
où et comment, par ex - em - ple, ça je l'i - gno - rais,
WHERE OR HOW, I AS - SURE YOU, I HAVE NEV - ER KNOWN.
et dans ce moment je l'i - gno - re toujours...
AND AT THIS MO - MENT I STILL DO NOT KNOW.
Blanche
f
Quelle i - dée folle et stu - pi - de!
WHAT A RI - DIC - U - LOUS NO - TION!
Bl.
ff
N'a - vez-vous pas hon - te de croi - re que vo - tre vie puis - se ra - che -
ARE YOU NOT A - SHAMED OF BE - LIEV - ING THAT YOUR LIFE COULD POSSIBLY RE -

Paris, Octobre 1953

III

Avant le 4º tableau (Nº 75) ajouter ceci:
(durée totale de l'interlude : 1'55")

attaquer 75

4e TABLEAU

Cellule de l'infirmerie. Marie de l'Incarnation est au chevet de la Prieure. La Prieure est dans son lit. Pendant toute la scene, ses manieres, son attitude contrasteront avec l'expression angoissée et presque égarée de son visage.

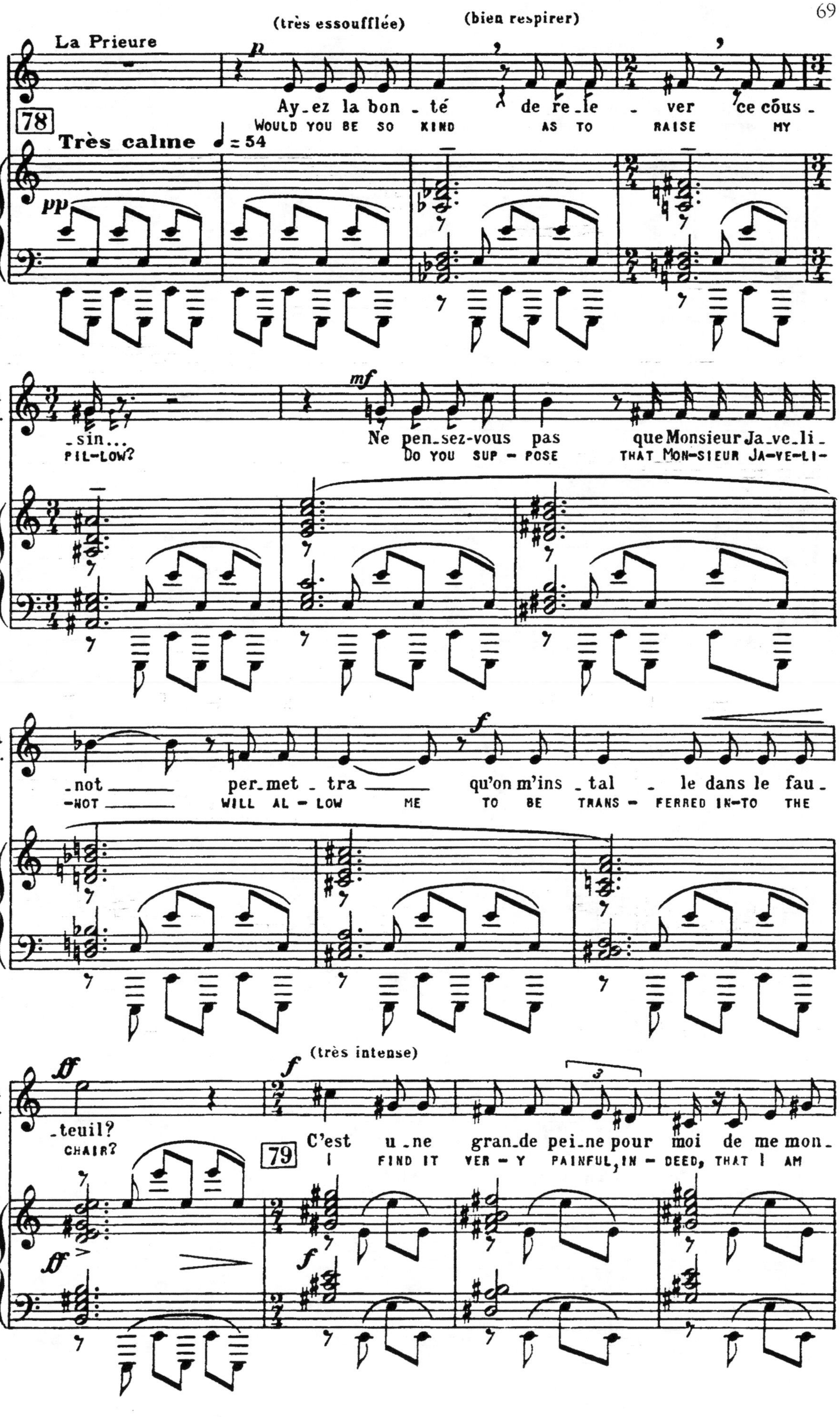
(très essoufflée)
(bien respirer)
La Prieure
78
Très calme ♩= 54
p
pp
Ay_ez la bon_té de re_le_ver ce cous_
WOULD YOU BE SO KIND AS TO RAISE MY
La Pr.
_sin...
PIL-LOW?
mf
Ne pen_sez-vous pas que Monsieur Ja_ve_li_
DO YOU SUP-POSE THAT MON-SIEUR JA-VE-LI-
_not per_met_tra qu'on m'ins_tal_le dans le fau_
-NOT WILL AL-LOW ME TO BE TRANS-FERRED IN-TO THE
f
ff
_teuil?
CHAIR?
(très intense)
79
C'est u_ne gran_de pei_ne pour moi de me mon_
I FIND IT VER-Y PAINFUL, IN-DEED, THAT I AM

La Pr.
_trer à mes fil _ les ain _ si é _ ten_du _ e, comme u _ ne noy _
SEEN BY MY CHIL - DREN WHILE LY - ING SO HELP-LESS, JUST LIKE SOME-ONE
La Pr.
_é _ e qu'on vient de sor _ tir de l'eau, a _ lors
DROWN - ING WHO'S PULLED FROM THE WA-TER, AND THIS,
La Pr.
que j'ai si bien gar_dé tou _ te ma tê _ te.
WHEN I'M STILL CA - PA - BLE OF THINK - ING SO CLEAR - LY.
Ped.
80 (très librement, ironique)
La Pr.
Oh! ce n'est pas que je veuille tromper per _ son _ ne! Mais quand fait si
OH! IT IS NOT THAT I WISH TO DECEIVE MY DAUGH-TERS! BUT WHEN ONE'S SO
f
f

La Pr.
mi_sé_ra_blement défaut le cou_ra_ge, il faudrait être au moins ca_
PAIN-FUL-LY CON-SCIOUS OF LACK-ING IN COUR-AGE I THINK ONE AT LEAST BE
Mère Marie
p très calme
J'a_vais cru com_
I WAS AL-MOST
_pa_ble de com_po_ser son maintien.
A-BLE TO MAIN-TAIN ONE'S COM-PO-SURE.
81
p
M. M.
_pren_dre, ma Mè_re, que vos an_gois_ses s'étaient bien a_pai_sé_es cet_te
CERTAIN, MY MOTH-ER THAT YOUR SUF-FER-ING HAD SOME-WHAT SUBSIDED IN THE
pp très doux
nuit...
NIGHT.
mf
Ce n'é_tait qu'un as_soupis_se_ment de l'â_me.
IT WAS ON-LY A LETHAR-GY WITH-IN MY SOUL.
p

La Pr.
Dieu en soit pour_tant remercié ! Je ne me voyais plus mourir.
GOD BE DEEP–LY THANKED NONETHELESS, I NO LONGER FELT THAT I WAS DY–ING.
"Se voir mourir" pas_se pour n'être qu'un dic_ton de bonnes gens...
"TO SEE YOURSELF DIE," THAT'S BUT A PHRASE THAT PEOPLE OF–TEN LIKE TO USE.
82
Hé bien, ma Mè_re, il est vrai que je me vois mourir.
VER–Y WELL, MOTH–ER MA–RIE, IT IS TRUE I SEE MY–SELF DIE!
Rien ne me distrait de cet_te vue.
NOTH – ING CAN DISTRACT ME FROM THE SIGHT!
Je suis seu_le, ma Mè_re,
I AM ALL A – LONE

La Pr.
ab_so_lument seu_le, sans au _ cu _ ne conso_la _ tion. Parlez
A-LONE AND HELP-LESS WITH - OUT THE SLIGHT-EST CON-SO - LA - TION. WILL YOU
moi franchement! Com_bien de temps Mon_sieur Ja_ve_li _
TELL ME QUITE FRANKLY, JUST HOW MUCH TIME MON - SIEUR JA-VE - LI-
83
Mère Marie
Vo_tre tem_pé _ ra _
HE SAYS YOUR CON-STI-
_not me don_ne-t-il en_core à vi_vre?
-NOT BE-LIEVES THAT I CAN STILL EN-DURE IT?
M. M.
_ment est des plus forts qu'il ait vus. Il craint pour vous un pas_sa_ge
TU-TION IS RE - MARK - A - BLY STRONG: I THINK HE FEARS YOU WILL HAVE A

pp dolcissimo
M. M.
lent et dif_fi_ci_le, mais Dieu...
LONG AND BITTER STRUGGLE, BUT GOD...
La Prieure
(très rude)
ff
Dieu s'est fait lui-même une
GOD HAS BE-COME A
pp
(très intense)
f
La Pr.
om_bre. Hé_las! J'ai plus de trente ans de profession, douze
SHAD-OW! A-LAS! I'VE LIVED AS A NUN FOR THIR-TY YEARS I'VE BEEN
84
f
La Pr.
ans de su_pé_rio_rat. J'ai mé_di_té sur la
MOTH-ER SU-PE-RIOR FOR TWELVE. I'VE RE-FLECT-ED ON
ff
ff
La Pr.
mort chaque heu_re de ma vi_e, et ce_
DEATH EACH DAY OF MY LIFE YET IT

La Pr.
-la main-te-nant ne me sert de rien!
NOW DOES-N'T SEEM TO STRENGTHEN ME AT ALL.
(très librement)
p
Je trou-ve que Blanche de la For-ce tar-de beaucoup.
IT SEEMS TO ME THAT BLANCHE DE LA FORCE IS CON-SID'RA-BLY LATE.
(très agité)
f
A-près la ré-u-nion d'hi-er, s'en tient-el-le
BUT AFT-ER YES-TER-DAY'S PRO-TRACT-ED DIS-CUS-SION,
85
Poco più mosso ♩ = 90
dé-ci-dément au nom qu'elle a choi-si?
DOES SHE STILL HOLD TO THE NAME THAT SHE HAD CHO-SEN?

*Coupure facultative de 87 à 89

La Pr.
-tait en ce temps là Madame Arnoult, elle a -vait quatre-vingts ans
PE-RI-OR WAS DEAR MA-DAME AR - NOULT. SHE WAS EIGHT-Y AT THE TIME.
p
pp
p très doux
88
Poco più mosso
El-le me dit: In - ter-rogez vos for-ces. Qui entre à
SHE USED TO TELL ME: "YOU LOOK DEEP WITHIN YOUR HEART. WHO EN-TERS GETH-
Presser
ff
f
Geth-se-ma-ni n'en sort plus Vous sentez - vous le cou-ra - ge
SE -MA-NE NEV -ER WILL LEAVE. ARE YOU CON- VINCED YOU HAVE THE COUR-AGE
de res-ter jusqu'au bout pri-son-niè - re de la très
TO RE-MAIN, TILL THE END, A PRIS-ON-ER OF THAT MOST

céder
PURE
La Pr.
Sainte A_go_nie?
HO-LY AGONY OF CHRIST?
C'est
IT WAS
89
Très calme ♩= 54
moi qui ai in_tro_duit dans cet_te mai_son Sœur
I WHO TOOK THE FI-NAL STEP AND BROUGHT TO O-UR HOUSE SIS-TER
Blan_che de l'A_go_nie du Christ.
BLANCHE OF THE AG-O-NY OF CHRIST.
90
De tou_tes mes
OF ALL MY
fil_les, au_cu_ne ne m'in_quiè_te da_van_ta_ge.
DAUGHT-ERS THERE'S NONE WHO GIVES ME GREAT-ER CAUSE FOR WOR-RY.
J'a_vais pen_sé
I'VE OF-TEN THOUGHT

La Pr.
la re-commander à vo-tre cha-ri-té. Mais, ré-flexion faite, et si
I SHOULD RECOMMEND THIS CHILD TO YOUR IN-DUL-GENCE. NOW I HAVE DE-CID - ED, IF
Dieu le veut, ce se-ra le dernier ac-te de mon su-pério-rat.
GOD PER-MITS, THIS WILL BE THE LAST ACHIEVEMENT OF MY IN-CUM-BEN-CY.
Mère Marie
ff
6
Ma Ré-vé-rende Mè-re?
MY MOST REV'REND MOTH-ER?
91
Mère Ma - ri - e...
MOTH-ER MA - RIE!
C'est au
IN THE
nom de l'o - bé-is-san-ce que je vous re - mets Blanche de la For-ce.
NAME OF O - BE-DIENCE I NOW EN-TRUST TO YOU BLANCHE DE LA FORCE.

La Pr.
Vous me ré - pondrez d'el - le de - vant Dieu.
AND YOU WILL AN-SWER FOR HER BE-FORE GOD!
Mère Marie
Oui, ma Mè - re.
YES, MY MOTH-ER.
(tres sensible et doux)
92
Il vous fau - dra u - ne grande fer - me - té de ju - ge -
YOU WILL HAVE NEED OF CHAR-AC-TER AND CLARITY OF
très doux
- ment et de ca - rac - tè - re, mais c'est pré -
JUDG - MENT, AND DIS-CI-PLINE AND PA - TIENCE. THESE ARE PRE-
(très intense)
subito

La Pr.
-ci - sé-ment ce qui lui manque, et que vous a-vez de surcroit.
CISE - LY WHAT THE CHILD IS LACK - ING AND YOU POS - SESS IN GREAT A-BUN-DANCE.
Mère Marie
ff
93
Il n'est que trop vrai. Vous voyez clair en moi, comme toujours.
IT IS VER-Y TRUE. YOU AL-WAYS SEE ME EXACT-LY AS I AM.
f
(on frappe à la porte)
(Mère Marie va jusqu'à la porte, s'efface pour laisser entrer Blanche puis sort.)
La Prieure
p
La voi-ci, priez-la d'entrer.
SHE IS HERE. ASK HER TO COME IN.
pp subito
pp
très long silence
(Blanche vient s'agenouiller près du lit)
(infiniment doux)
La Pr.
pp
94
Excessivement lent ♩= 48
poco più mosso
Re - le-vez-vous,
I PRAY YOU RISE,
pppp très doux
pp
pp

La Pr.
ma fil - le. J'a_vais fait le pro - jet de vous en_tre_te_
MY DAUGH - TER I WAS HOP - ING THAT WE COULD SPEND A LIT-TLE
_nir un peu longue_ment, mais la con_ver_sa_tion que je viens d'avoir
TIME TO-GETH-ER AT LAST, BUT THE VIS-IT I HAD WITH MOTH-ER MA-RIE
più mosso
m'a beaucoup fa_ti - gué_e. Vous ê_tes la der_
LEFT ME GREAT-LY EX - HAUST-ED. YOU ARE THE LAST WHO
95
_niè_re ve_nue, et pour ce fait la plus chère à mon
EN-TERED OUR HOUSE, AND FOR THAT REA - SON THE CLOS-EST TO MY

La Pr.
ff
cœur. Oui, de tou - tes mes fil - les, la plus
HEART. SURE - LY OF ALL MY DAUGH - TERS YOU ARE THE
f
p subito
chè - re, com - me l'en - fant de la vieil - les - se,
DEAR - EST, JUST LIKE A CHILD OF ONE'S OLD AGE,
pp subito
et aus - si la plus ha - sar - dé - e, la plus
THERE-FORE NEED - ING THE MOST PRO-TEC - TION BE - CAUSE THE
p
me - na - cé - e. Pour dé - tour - ner cet - te me - na - ce,
MOST EN-DAN-GERED. 96 COULD I PRE - VENT THAT FEAR-FUL DAN - GER,
mf

p subito
La Pr.
j'au_rais bien don _ né ma pau_vre vi _ e, oh! cer_tes,
I WOULD GLAD-LY GIVE MY HUM-BLE LIFE, OH YES, NOW
pp subito
(Blanche se jette de nouveau à genoux et sanglote. La Prieure pose la main sur sa tête.)
pp
mf
Je l'eus_se don _ né _ e... Je ne puis don _ ner main_tenant
EA - GER - LY I'D YIELD IT. BUT A-LAS I'VE NOTH-ING TO GIVE
p
que ma mort, u _ ne très pauvre mort...
BUT MY DEATH, A VER - Y LOW - LY DEATH...
m.d.
m.g.
ppp
Dieu se glo_ri _ fi_e dans ses Saints, ses hé _ ros et ses mar _ tyrs.
97
GOD DE-RIVES GREAT GLORY FROM HIS SAINTS, FROM HIS HE-ROES AND HIS MAR-TYRS.
ppp

*Coupure facultative de 98 à 103

La Pr.
mf
Mon en - fant, quoi qu'il ad - vien - ne ne sor_tez
99 DEAR-EST CHILD, YOU MUST HAVE COUR - AGE. WHAT - EV- ER
pas de la sim_pli_ci - té. Oh! ma fil -
HAP - PENS, BE SIM-PLE AND UN - SPOILED. 100 OH! MY DAUGH -
f
_le, soyez tou_jours cette cho_se douce et mani_a_ble dans les mains de Dieu!
TER, RE-MAIN FOR - EV-ER SO SWEET AND PLI - ANT IN THE LOV-ING HANDS OF OUR DEAR LORD!
p
ff
Les saints ne se raidissaient pas con_tre les ten_tations,
101 très rude
YOU KNOW TEMP - TA-TION HAD ITS DAN - GERS, E -VEN FOR THE SAINTS.

La Pr.
ils ne se révoltaient pas contre eux-mê_mes, la ré_
THEY WOULD NEV-ER HAVE RE-BELLED A-GAINST THEIR NA-TURE, FOR RE-
102
_volte est tou_jours u_ne cho_se du dia_ble, et sur_
BEL - LION IS AL - WAYS THE WORK OF THE DEV - IL; DON'T FOR-
- - - PURE
pp très doux
_tout ne vous mé_pri_sez ja_mais! Dieu a
GET, YOU MUST NEV-ER DESPISE YOUR-SELF! GOD IS
103
ppp
pris votre hon_neur en charge, et il est plus en sû_re_té dans ses
THERE TO PRO-TECT YOUR HONOR, AND IT IS SAF-ER IN THE HANDS OF THE

ppp
La Pr.
mains que dans les vô - tres
LORD THAN IN YOUR OWN.
(très tendre)
pp
Re-le-vez - vous cet-te fois pour tout d- bon. A-dieu je
104
AND NOW A - RISE, ONCE A - GAIN, PERHAPS FOR GOOD. FARE - WELL I
pp
pp
(Blanche sort)
court
vous bénis. A - dieu, ma petite en - fant...
BLESS YOU NOW. GOOD-BYE, MY DEAREST CHILD.
ppp
court
105
(Mère Marie de l'Incarnation rentre avec le médecin et Sœur Anne de la Croix.)
Sensiblement plus vite mais commencer très au-dessous du mouvement
♩ = 100
m.d.
pp
f
m.d.
m.d.

La Prieure
Mon_
MON-
La Pr.
_sieur Ja_ve_li_not, je vous prie de me don_
SIEUR JA-VE-LI-NOT, MAY I HOPE THAT YOU'LL PRE-
La Pr.
_ner u_ne nou_vel_le do_se de ce re_mè_de.
SCRIBE AN-OTH-ER DOSE OF THIS MED'-CINE, FOR IT HAS HELPED ME.
Le Médecin
Vo_tre Ré_vé_ren_ce ne la suppor_te_rait pas.
I'M A -FRAID YOUR REV'RENCE CAN-NOT TAKE AN-OTH-ER DOSE.
106
Subito molto agitato
m.d.

(jusqu'à la fin, le médecin, restera au chevet de la Prieure, silencieux et vigilant.)

Très calme
f rude
La Pr.
109
Oh! ma Mè_re, re_gar_dez:— vais-je dans un ins_tant mon_
MY GOOD MOTH-ER, COME AND SEE! — HOW CAN I POS-SI-BLY SHOW THIS
p
Mère Marie
p très doux
110
Oh! ma Mè_re,
OH! MY MOTH-ER,
_trer ce vi_sage à mes fil_les?
FACE TO MY DEAR LITTLE DAUGH-TERS?
Très calme
M. M.
ne vous mettez plus en pei_ne de nous! Ne vous in_quié_tez plus
YOU SHOULD HARDLY THINK OF US AN-Y MORE. FROM NOW ON, YOUR CON-CERN
pp
dé_sormais que de Dieu.—
SHOULD BE ON-LY WITH GOD.—
Très violent
La Prieure
ff
111
Que suis-je à cette heure, moi mi_sé_ra_ble,
WHO AM I, AT THIS MO-MENT, WRETCH THAT I AM, —
f

La Pr.
pour m'inquiéter de Lui! Qu'il s'in_quiè_te donc d'abord de moi!
TO CONCERN MY-SELF WITH HIM! LET HIM FIRST CON-CERN HIMSELF WITH ME!
f
(La tête de la Prieure retombe lourdement sur l'oreiller. Presque aussitôt, on entend son râle.)
(à Sœur Anne de la Croix)
M. M.
ff
Vo_tre Ré_vé_ren_ce dé_li_re.
YOUR REV' - RENCE IS DE - LIR - IOUS!
(dans un râle)
mf
Pous_
pp
Ah
AH
112
Sourdement agité = 100
ff
pp
_sez tout à fait cette fe_nê_tre.
THINK YOU HAD BET-TER SHUT THE WIN-DOW.
Notre Ré_vérende Mè_re n'est plus responsa_ble
CLEAR-LY O-UR MOTH-ER IS NO LONG-ER QUITE RE-SPON-SI-BLE
Ah,
AH,

M. M.
La Pr.
des propos qu'elle tient, mais il est pré_fé _ ra_ble qu'ils ne
FOR THE THINGS SHE IS SAY-ING BUT I'M SURE IT IS WIS-ER NOT TO
Ah
AH
(Sœur Anne défaille)
scanda _ li _ sent per _ son _ ne... Allons!
SCAN-DAL-IZE ALL OUR SIS - TERS. O COME!
Ah
AH
Sœur Anne de la Croix, vous n'allez pas vous é_vanouir comme une femmelet_te.
SIS-TER ANNE OF THE CROSS, YOU ARE NOT GO - ING TO FAINT LIKE A SIL-LY LIT-TLE GIRL —
Ah
AH

(tandis que Mère Marie parle, la Prieure s'est

Presser
La Pr.
_du en deux, de la paille et du sang sur les dal_les... Oh! oh!
DES-O-LATE; THERE WAS STRAW AND BLOOD ON THE FLAG-STONES! A-LAS!
115
Mère Marie
Votre Ré_vérence est
YOUR REV'RENCE IS BE-
céder a Tempo
La Pr.
Dieu nous délais_se! Dieu nous re_non_ce!
GOD HAS FOR-SAK-EN US, GOD HAS RE-NOUNCED US!
M. M.
hors d'é_tat de re_te_nir sa lan_gue, mais
YOND THE STAGE WHERE SHE IS QUITE HER-SELF, YET
M. M.
je la supplie d'essa_yer de ne rien di_re qui puis_se...
I MUST IM-PLORE HER TO TRY TO SAY NOTH-ING THAT MIGHT BE...

Subito molto agitato
La Pr.
116
Ne rien di - re... ne rien di - re...
SAY NOTH - ING! SAY NOTH - ING!
Qu'im-por-te ce que je dis! Je ne comman-de pas
DOES IT MAT - TER WHAT I SAY? I AM NO MORE IN COM-
plus à ma lan - gue qu'à mon vi - sa - ge.
MAND OF MY TONGUE THAN OF MY FACE!
(La Prieure essaye de se dresser sur son lit)
L'angoisse a - dhère à ma peau comme un mas - que de
DE-SPAIR CLINGS TO MY SKIN LIKE A MASK THAT

La Pr.
ci - re... Oh! que ne puis - je ar - ra -
CHOKES ME! OH! IF I ON - LY COULD
fff
tr
-cher ce masque a - vec mes on - gles!
TEAR A-WAY THIS MASK WITH MY NAILS!
(La Prieure retombe la tête sur l'oreiller)
Mère Marie
Tempo exact de l'introduction du tableau ♩= 100
117
ff très clair
f
Pré - ve - nez vos sœurs
PLEASE IN-FORM YOUR SISTERS
M. M.
qu'el - les ne ver - ront pas la Ré - vé - ren - de Mère aujourd'hui.
THEY WILL HAVE NO CHANCE TO SEE THE REV'REND MOTH - ER TO - DAY.

(La Prieure, qui à tout entendu, se redresse et d'une voix forte:)
M. M.
ff
A dix heu-res, ré-cré-a - tion, comme d'ha-bi-tu-de.
WILL YOU TELL THEM, AT TEN O'-CLOCK RECREA - TION AS U - SUAL.
ff
pp subito
(Sœur Anne de la Croix sort)
La Pr.
ff
Mè-re Marie de l'Incarnation, au nom de la Sainte o-bé-is-san-ce,
118 Lent
MOTHER MARIE OF THE INCARNA - TION, IN THE NAME OF HO - LY O-BE-DIENCE
ff
(Brisée par l'effort, elle retombe à nouveau.)
(râlant)
La Pr.
je vous or-don-ne...
I COM - MAND YOU...
ah ah
AH, AH!
p
(La porte s'entrouve et Blanche entre d'un pas de somnambule. La Prieure l'aperçoit et on comprend qu'elle l'appelle.)
119 Bien calme ♩= 60
très doux et expressif
pp
baigné de pédale

(Blanche reste debout, comme pétrifiée.)
M. M.
p
La Ré_vé_rende Mè_re
O-UR REV'RENS MOTHER
(Blanche, hagarde, s'age_nouille près du lit.)
veut que vous appro _ chiez jusqu'à son lit.
DE - SIRES YOU TO COME BE-SIDE HER BED.
(La Prieure lui pose la main sur le front.)
(dans un souffle)
(On comprend que la Prieure fait une recom_mandation à Blanche, puis tout à coup elle suffoque...)
La Pr.
p
Blan_che...
BLANCHE...
m.d.
pp
(doucement en dehors)
Mère Marie
C'est u_ne chose insen _ sé_e...
IT IS REALLY AN OUT -RAGE,
on ne devrait pas per_
THEY SHOULD NOT BE-AL-LOWED TO
120
♩ = 66

La Prieure
M. M.
-met-tre... Deman-de par - don... mort... peur...
SEE HER! IM-PLORE YOUR FOR-GIVE-NESS... DEATH... FEAR...
(à la Mère Marie)
Blanche
p
La Ré-vé-ren-de Mè-re dé-si-re...
I THINK OUR REV'REND MOTH-ER IS ASK-ING...
La Pr.
fff
peur de la mort.
FEAR OF DEATH!
(Elle tombe morte)
121
Très calme ♩ = 56
p
Bl.
La Ré-vé-ren-de Mè-re dé-si-rait... au-rait dé-si-ré...
OUR REV'REND MOTHER WAS A-BOUT TO ASK... SHE WANT - ED TO ASK...
pp
(Elle tombe à genoux, le visage enfoui dans les draps du lit, en sanglotant.)
RIDEAU
(cloche sur la scène)
122
ppp
ff sub. > pp
m.g.
Ped.
laisser vibrer
FIN DU 1er ACTE
Lausanne, Decembre 53

ACTE II

1er TABLEAU

Chapelle des religieuses. La Prieure est morte et elle est exposée dans le cercueil découvert, au centre de la chapelle. Il fait nuit. La chapelle n'est éclairée que par les six cierges autour du cercueil. Blanche et Constance de Saint Denis veillent le corps de la défunte.

Sr C.
La - za-rum re-su-sci-ta-sti a mo-nu-men-to
pp
fœ-ti-dum.
Blanche
pp
Tu e-is, Do-mi-ne, do-na re-qui-em
mf
2
ppp
pp
Bl.
et lo-cum in-dul-gen-ti-æ.
p
Qui ven-tu-rus es
3
p
ju-di-ca-re vi-vos et mor-tu-os, et sæ-cu-lum per

S^r C.
i - gnem.
Bl.
pp
Tu e - is, Do - mi - ne, do - na
4
pp
ppp
et lo - cum in - dul - gen - ti - æ.
re - qui - em, et lo - cum in - dul - gen - ti - æ.
(en entendant sonner l'horloge du couvent, Constance se lève et laisse Blanche seule, pour aller chercher les remplaçantes.)
A - - - - - - men.
très long silence
(Horloge sur scène)
très long silence

(Blanche essaye de prier)
5
à peine plus vite
pp mystérieux et inquiet
(Elle se lève et se dirige vers la porte)
(Ses regards fixent le cadavre)
(La porte s'ouvre et M. Marie aparaît)
presser un peu
6
presser encore
f
Blanche
Mère Marie
ff
Que faites-vous? N'ê - tes-vous pas de veil - le?
WHY ARE YOU HERE? IT'S YOUR TURN TO BE WATCH-ING.
Je...
I...
reprendre le mouvement
initial
Blanche
p
Je... L'heure est dé - jà pas - sée, ma Mè - re.
I... I THOUGHT THE HOUR WAS O - VER, MOTH - ER.

Mère Marie
ff
Que vou_lez-vous di _ re?, Vos remplaçan _ tes sont à la cha_
WHAT ARE YOU SAY - ING? ARE YOUR RE-PLACE-MENTS ALL READ-Y IN THE
p
Blanche p
C'est à di_re que... que Sœur Constance est al _ lé_e les chercher...
THEY DID NOT AR-RIVE... SO SIS-TER CON-STANCE DE-CID-ED SHE WOULD FIND THEM...
M. M.
_pel _ le?
CHAP-EL?
p
Bl.
mf
a_lors...
AND THEN?...
(très dur)
M. M.
ff
A _ lors vous a_vez pris peur et...
AND THEN YOU YIELD-ED TO YOUR FEAR.. AND...
Blanche
(Blanche esquisse un geste pour retourner près du cercueil)
p
Je ne croyais pas mal faire en al_lant jusqu'à la por _ te.
BUT I REAL-LY MEANT NO HARM WHEN I WAN-DERED TO THE DOOR. —
sf>p

Un poco più mosso

M.
M.
froid. Je m'en vais vous con_dui_re moi - même à vo_tre cel_lu - le.
COLD. I WILL TAKE YOU MY-SELF TO YOUR CELL, SO DO NOT BE FRIGHT-ENED.
f
Et main_te_nant, n'al_lez pas ru_mi_ner ce pe_tit in_ci_dent...
NOW, IF YOU PLEASE; DO NOT BROOD AN-Y-MORE A-BOUT SOME-THING SO TRI-FLING.
8
f subito
p
p
Couchez-vous, si_gnez-vous et dor_mez.
GO TO BED, CROSS YOUR-SELF, BLANCHE AND SLEEP.
mf
f subito
f
ff
Je vous dis_pen_se formel_le_ment de toute au_tre pri - è - re.
WITH MY PER-MIS-SION YOU ARE EX-CUSED FROM ALL OTH-ER PRAY-ERS.
f

p subito
M. M.
Demain, vo_tre fau_te vous ins_pi_re_ra plus de dou_leur que de
9
I'M SURE, BY TO-MOR-ROW THIS WILL FILL YOU WITH SOR-ROW— RATH-ER THAN
pp
hon_te. C'est a_lors que vous en pour_rez de_man_der par_don
SHAME. IT IS THEN YOU WILL BE A-BLE TO ASK FOR-GIVE-NESS
mf
f
à Dieu, sans ris_quer de l'of_fen_ser da_van_ta_ge.
OF GOD WITH-OUT THE RISK OF OF-FEND-ING HIM FUR-THER.
(Mère Marie pose sa main sur l'épaule de Blanche et la pousse vers la porte)
10
fièrement
RIDEAU SPÉCIAL
f
p
pp
Cannes, Janvier 54

I INTERLUDE

11
Très calme ♩= 50
Sr Constance
Sr Blanche
Très calme ♩= 50
PIANO
cloche sur la scène
ppp
pp
(Entrent, devant le rideau, Constance tenant une croix de fleurs dans les bras, et Blanche une brassée de fleurs.)
(très calme)
Sr C.
p
Sœur Blanche, je trou_ve no_tre
DEAR SIS-TER, I FIND THAT O-UR
12
p
pp
croix bien haute et bien grosse. La tombe de notre pauvre mère est si pe _ ti _ te!
CROSS IS MUCH TOO E- LABO-RATE, FOR TRU-LY, THE LIT-TLE TOMB OF OUR MOTH-ER IS SO SIM- PLE.
sempre m.d.
m.g.
Sr Blanche
mf
f
Qu'allons-nous fai _ re main _ te _ nant des fleurs qui nous res _ tent?
WHAT DO YOU THINK THAT WE SHOULD DO WITH THE FLOW'RS THAT RE- MAIN?
13
mf

Sr C.
Hé bien, nous en fe - rons un bouquet pour la nou_vel_le Pri_eu_re.
I KNOW! LET'S MAKE A BOU- QUET FOR WHO-EV-ER IS TO BE OUR NEW PRIOR-ESS.
(rudement)
Sr Bl.
Je me de man-de si Mè-re Ma - rie de l'Incarna_tion ai_me les fleurs?
I RATH-ER WON-DER IF MOTH-ER MA - RIE OF THE IN-CAR-NA-TION LOVES FLOW-ERS?
(tres doux et naïf)
Dieu! je voudrais tant!
OH, HOW I WISH
più mosso
Non, Sœur Blanche,
NO, DEAR SIS-TER...
Qu'elle ai_me les fleurs?
THAT SHE LOVES FLOW-ERS?
14
mais qu'el_le soit é_lue Pri_eu_re.
THAT SHE BE CHO-SEN OUR NEW PRIOR-ESS.
(rude)
Vous croy_ez toujours que
YOU AL-WAYS BE-LIEVE THAT
m.d.
m.g.

Sr C.
Sr Bl.
p
Pourquoi pas?
AND WHY NOT?
Dieu fe_ra se_lon vo_tre bon plai_sir!
GOD WILL GRANT WHAT-EV-ER YOU ASK OF HIM.
sf > p
p
Ce que nous a_pelons hasard, c'est peut-ê_tre la lo_gique de Dieu?
WHAT GOES_ BY THE NAME OF CHANCE MAY BE NOTH-ING BUT THE LO-GIC OF GOD._
ff
15
Pen_sez à la mort de no_tre chè_re Mè_re, Sœur Blan_che!
JUST THINK OF THE DEATH OF OUR BE-LOV-ED MOTH - ER, DEAR SIS - TER.
mf
Qui au_rait pu croi_re qu'elle aurait tant de peine à mou_rir,
WHO'D EV- ER IM- AG - INE THAT SHE WOULD HAVE SUCH HARD - SHIP IN DY - ING,

(très doux et très lié)
ff
p subito
Sr C.
qu'el_le sau_rait si mal mou _ rir! __
THAT SHE WOULD EV- ER DIE SO BAD-LY ?
On di_rait qu'au moment
ONE WOULD THINK THAT WHEN HE CHOSE
très doux
f
p subito
de la lui don_ner, le bon Dieu s'est trom _ pé de mort,
SUCH A DEATH FOR HER, OUR GOOD LORD MADE A GREAT MIS-TAKE,
comme au ves_tiaire on vous donne un ha _ bit pour un au _ tre.
AS IN A CLOAK-ROOM THE MAN GIVES YOU ONE COAT FOR AN-OTH- ER.
m.g.
f
Oui, ça de_vait ê _ tre la mort d'une au _ tre,
YES, I THINK HER DEATH BE - LONGED TO AN - OTH - ER,
f

Sr C.
mf
u - ne mort trop pe - ti - te pour el - le;
IT WAS A DEATH MUCH TOO SMALL FOR OUR MOTH - ER;
mf
f
el - le ne pouvait seulement pas ré - us - sir à en - fi - ler les man - ches.
IT WAS REAL-LY SO SMALL THAT THE SLEEVES BARE-LY REACHED - DOWN - TO HER EL - BOWS.
p
(angoissée)
Sr Bl.
ff
La mort d'une au - tre, qu'est-ce que ça peut bien vouloir di - re,
THE DEATH OF AN-OTH - ER? TELL ME WHAT CAN THAT POS-SI-BLY MEAN, -
ff
mf
pp
Ça veut di - re que cette au - tre, lorsque viendra
I MEAN THAT SOME-ONE ELSE WILL BE GREAT-LY SUR-PRISED
Sœur Constan - ce?
SIS - TER CON - STANCE?
16
p
pp

Sr
C.
l'heure de la mort, s'é_ton_ne_ra d'y en_trer si fa_ci_le_ment,
WHEN HE HAS TO DIE THAT HE FINDS IT SO SIM-PLE AND SO EAS-Y,
pp
mf
et de s'y sentir confor_ta_ble.
AND THAT IT FEELS SO COMF'TABLE.
17
pp
On ne meurt pas chacun pour soi,
WE DIE NOT FOR OUR-SELVES ALONE
mais les uns pour les au_tres,
BUT FOR ONE AN-OTH-ER
mf
ou mê_me les uns à la
OR SOME-TIMES EV-EN IN-
(Constance et Blanche sortent)
pp
pla_ce des autres,
STEAD OF EACH OTHER
qui sait?
WHO KNOWS?
cloche
ppp

2e TABLEAU

La salle du Chapitre. (Deux portes: une grande sur la gauche, une petite - celle de la cloture - sur la droite). La communaute se reunit pour l'obédience à la nouvelle Prieure. La salle est voûtee. Au mur, de face, un très beau et très grand Crucifix. Sous le crucifix le fauteuil de la Prieure. Le long des murs, des bancs ou s'asoient les religieuses. Au lever du rideau, c'est la fin de la cerémonie d'obédience, beaucoup de religieuses sont deja assises sur les bancs, Blanche et Constance entreront les dernières.

pp
f
La seconde Prieure
p très lié
Mes chè_res fil_les, j'ai en_core à vous di_re
MY DEAR-EST DAUGH-TERS, I MUST TELL YOU A-GAIN THAT
très doux
20
p
Sde Pr.
que nous nous trouvons pri_vé_es de no_tre très re grettée Mè_re
WE HAVE SUF-FERED GREAT MIS-FOR-TUNE BY LOS - ING OUR BE - LOV - ED MOTH-ER
Sde Pr.
au moment où sa pré_sen_ce nous se_rait le plus né_ces_sai_re.
JUST WHEN HER ADVICE WOULD BE OF SUCH IM-POR-TANCE FOR ALL OF US.
p

Sde Pr.
Il en est sans dou_te fi _ ni des temps pros _ pè_res et tranquil_les
WE HAVE DOUBT-LESS LEFT BE_ HIND US ALL THOSE CALM AND HAP-PY DAYS WHEN
21
où nous ou_bli _ ons trop ai sé_ment que rien ne nous as _
WE FOR - GET TOO EAS - I - LY WE'VE NO AS - SUR - ANCE OF A
_su_re contre le mal, que nous sommes tou_jours dans la main de Dieu.
SMOOTH_ AND EASY LIFE AND THAT WE ARE IN THE MIGHT -Y HAND OF GOD.
22
Ce que vau_dra l'é _ _ poque où nous al_lons vi _ vre, je l'i_
WHAT THE FUTURE HOLDS IN STORE, OR WHAT FATE A - WAITS US I CANNOT
8va bassa
loco

Sde Pr.
_gno - re.
SAY.
23
J'at_tends seu_le_ment
I EX - PECT FROM HEAV-EN'S
m.d.
m.g.
de la Sain_te Pro_vi _ den _ ce les ver _ tus mo_des_tes que les
BOUN -TY NOTH -ING BUT THOSE MOD - EST, LIT-TLE BLES-SINGS WHICH I FIND THE
ri_ches et les puissants tiennent vo_lontiers en mé_pris
RICH AND THE MIGHTY OF THIS EARTH LOOK DOWN UP-ON AND HOLD IN SCORN:
la bon_ne vo_lon - té, la pa_tien_ce, l'es_prit de con_
GOOD WILL TO ALL THAT LIVES, END-LESS PA-TIENCE, UN-SELF - ISH HU -

Sde Pr.
-ci-lia-tion. Mieux que d'au-tres, el-les con-viennent
MI-LI-TY. OF ALL THE VIR-TUES, WHAT OTH-ERS FIT A
24
mf
à de pau-vres fil-les que nous sommes. Car il y a plu-sieurs
GROUP OF TRU-LY MEEK AND HUM-BLE WOM-EN. OH, SURE-LY THERE ARE
f
p
mf
sor-tes de cou-ra-ge, et ce-lui des grands de la ter-re n'est
MAN-Y KINDS OF COUR-AGE AND THE COUR-AGE OF KINGS AND PRINC-ES IS
25
p
p
pas ce-lui des pe-ti-tes gens, il ne leur per-met-trait
NOT AT ALL THAT OF SIM-PLE PEO-PLE. IT WOULD NOT EN-A-BLE
p

Sde Pr.
pas de sur_vi_vre. Le va_let n'a que fai_re
THEM TO SUR - VIVE. MA-NY A SERV - ANT WILL COP - Y
26
de cer_tai_nes ver_tus du mai_tre: el_les ne lui con_viennent pas plus
CER-TAIN TRAITS OF HIS NOBLE MAS-TER; BUT THEY REALLY WILL SUIT HIM NO MORE
que le thym et la mar_jo _ laine à nos la_pins de choux.
THAN THE FIN - EST OF SPI - CES SUIT A SIM - PLE RAB-BIT STEW.
Je vous ré _ pè _ te que nous som _ mes de pau_vres
MAY I RE - PEAT THAT WE ARE POOR —— AND HUM-BLE
27

Sde Pr.
filles rassemblées pour prier Dieu.
WOMEN WHO HAVE COME HERE TO PRAY TO GOD.
subito p
f
28
Méfions-nous de tout ce qui pourrait nous détourner de la prière,
LET US BEWARE OF ALL THE THINGS THAT LURE OUR ROVING HEARTS AWAY FROM PRAYER.
mf
méfions-nous même du martyre.
NEVER TRUST EVEN THE JOY OF MARTYRDOM.
3
m.d.
f
La prière est un devoir,
PRAYER IS A DUTY,
ff

Sde Pr.
f
ff
p
le mar_tyre est u_ne ré_compen_se.
MAR-TYR-DOM IS A RE - WARD.
29
Lorsqu' un grand Roi de_
WHEN A MIGHT - Y KING, BE-
strictement du même mouvt
_vant tou_te sa cour, fait signe à la ser_van_te de ve_nir s'asseoir à_
FORE HIS NO-BLE COURT, BECKONS TO A SER-VANT THAT SHE COME AND SIT BESIDE HIM
sans presser
_vec lui sur le trô_ne, ain_si qu'une é_pou_se bien_ai_mé_e,
ON HIS GOLD-EN THRONE AS IF SHE WERE A WELL BE - LOV - ED WIFE, —
mf
il est pré_fé_ra_ble qu'el_le n'en croie pas d'a_bord ses
IS IT NOT MUCH WI - SER THAT AT FIRST SHE SHOULD RE - FUSE TO BE-

Sde Pr.
yeux ni ses o-reil-les, et con-ti - nue à frot - ter les meubles.
LIEVE HER EYES AND EARS. AND SHOULD CON-TIN- UE AS IF NOTH-ING HAPPENED.
30
Je vous de-man-de par-don de m'ex-pri-mer à
I HUM-BLY BEG YOUR PAR-DON FOR SPEAK-ING IN MY AC-
ma ma-niè-re, un peu à la bon - ne franquet - te.
CUS-TOMED MAN-NER, WITH-OUT THE USE OF FAN - CY LAN - GUAGE.
31
Mè-re Ma-rie de l'Incar-na-tion, veuil-lez trou - ver la con-clu-
MOTH - ER MA-RIE — MAY I RE-QUEST THAT YOU NOW FIND A PROP-ER

molto
Sde Pr.
-sion de ce pe-tit pro - pos.
END - ING FOR THIS LITTLE TALK.
p
Mère Marie
f
Mes Sœurs, Sa Ré - vé - ren - ce vient de nous di - re
32
MY SIS-TERS HER REV'RENCE HAS EX - PLAINED TO US CLEAR - LY
au même mouvement
mf
M. M.
que no - tre pre-mier de - voir est la pri - è - re.
OUR MOST IM - POR - TANT DU - TY LIES IN PRAYER.
M. M.
mf
Con - formons-nous donc, non seu-le-ment de bou - che, mais de
SO LET US O - BEY, NOT ON - LY WITH OUR TONGUES BUT WITH OUR
mf

(sur un signe de la Mère Marie, toutes les Carmélites s'agenouillent.)

M. M.
mf
f
cœur, aux vo_lon _ tés de Sa Ré_vé _ ren _ ce. __
HEARTS, THE NO-BLE PRECEPTS OF OUR REV'-REND MOTH - ER. __
33
très lié
mf
A _ _ ve Ma_ri _ a.
Les Carmélites
pp (bouche fermée)
f
Gra _ ti_a ple _ na
Bien calme ♩= 50
pp
Do _ mi_nus te_cum Be_ne_dic_ta tu in mu_li _ e _ri_bus
Les C.
pp
Do _ mi_nus te_cum Be_ne_dic_ta tu in mu_li _ e _ri_bus
pp

M. M.
Les C.
pp
mf
Je - su
et be - ne - dic - tus fruc - tus ven - tris tu - i
Je - su
Ped.
La Prieure
sans crescendo, dolcissimo
Sanc - - - - ta Ma - ri - a
(bouche fermée) juste un murmure
ppp
34
La Pr.
O - ra pro no - bis pec - ca - to - ri - bus
Ma - ter De - i
O - ra pro no - bis pec - ca - to - ri - bus
p

Cannes, 12 Février 1954

II. INTERLUDE

Sr C.
homme à che_val qui dé _ si _ re voir _ la
BEGS TO COME IN. HE IN – SISTS THAT HE MUST
Ré _ vé _ ren _ de Mè _ re.
SEE OUR REV'-REND MOTH – ER.
La Prieure
A quel gui _ chet?
WHICH GATE IS THAT?
Ce _ lui de la ruel_le.
THE ONE IN THE AL–LEY.
La Pr.
Pour tenir tant à pas_ser in _ a _ per_çu,
IF HE'S SO EA - GER TO COME HERE UN-OB-SERVED,
f
mf

La Pr.
ce ne peut être un en_ne_mi. Al_lez voir, ma
THEN HE MUST BE ONE OF OUR FRIENDS. MOTH – ER, GO AND
f
ff
(Mère Marie et Sœur Constance sortent par la gauche)
La Pr.
Mè - re.
SEE HIM.
fff
8va b.
pp
(La Révérende Mère reste impassible, seules ses lèvres remuent imperceptiblement.)
Subito très calme ♩= 54
38
pp
(Mère Marie revient en hâte)
poco agitato
Mère Marie
mf
Ma Mère, il s'a_git de Monsieur de la For_ce
MOTH - ER THE MAN IS MON-SIEUR DE LA FORCE WHO
39
m.d.
ppp
p

M. M.
qui dé - si - re voir sa sœur a - vant de partir pour l'é - tran -
ASKS TO SEE HIS SIS-TER BLANCHE BE - FORE HIS DE-PAR - TURE FROM
- ger.
FRANCE.
La Prieure
ff
Qu'on ail - le pré - ve - nir
THEN WILL YOU SEND AT ONCE FOR
40
f
La Pr.
Blan - che de la For - ce. Les cir - cons - tan - ces au - to - ri - sent
BLANCHE DE LA FORCE. THE PRE - SENT CIR-CUMSTANCES TRU-LY
(rappelant la Mère Marie qui commençait à sortir)
cette in - frac - tion à la rè - gle.
WAR - RANT OUR BREAKING THE RULES.
p
pp

La Pr.
ff
Je dé - si - re que vous as - sis - tiez à l'en-tre-tien.
MAY I ASK THAT YOU BE IN THE ROOM WHEN THEY MEET?
Mère Marie
(hésitant)
Si votre Ré-vérence voulait bien le permettre...
IF ON-LY YOUR REVERENCE WOULD KIND-LY PER-MIT ME...
La Pr.
ff
Vous, ma Mère, et non une
YOU A-LONE AND NO
41
Tempo agitato ♩=120
p
pp
ff
(La Prieure et Mère Marie sortent précipitamment, chacune de son côté.)
La Pr.
au - tre.
OTH - ER.
ff très brillant
8
fff

IV

Acte II

Avant le 3e tableau (No 42) ajouter ceci:
(durée totale de l'interlude : 2' + 1' 45 = 3' 45 avec la scène chantée)

3ème TABLEAU

Le Parloir. Le rideau est à moitié tiré. Blanche a le visage découvert. Derrière la partie non tirée du rideau, Mère Marie de l'Incarnation, invisible pour le public, assiste à l'entretien.
Le rideau se lève dans le silence. La musique ne commence qu'un peu de temps après.

Blanche
p
Dieu sait com - bien je vou-drais ne
GOD IS MY WIT- NESS I'VE NO DE-
Le C.
frè - re?
BROTH - ER?
43
pp
Bl.
vous cau-ser au-cun dé-plai-sir!
SIRE TO CAUSE YOU THE SLIGHT-EST SOR-ROW.-
f
En deux mots comme en
LET ME COME TO THE
f
cent, no-tre pè - re ju - ge que vous n'ê - tes plus i -
POINT, OUR FATH- ER FEELS IT IS- N'T SAFE FOR YOU TO

(très doux)
Bl.
Le C.
p
Je n'y suis peut - ê - tre
POS - SI - BLY THERE MAY BE
-ci en sû - re - té.
STAY HERE ANY LONG - ER.
p
pas, mais je m'y sens; ce - la suf - fit pour moi.
DAN - GER BUT I FEEL SAFE AND THAT'S E - NOUGH FOR ME.
mf
Com-me vo-tre ton est dif-fé - rent de ce-lui d'au-tre-
HOW CAN YOU EX-PLAIN THE SUD-DEN CHANGE IN THE BLANCHE THAT I
-fois!
KNEW?
f
Il y a dans vos ma-
THERE IS SOME-THING IN YOUR
44
sf
mf
sf

Le C.
_niè _res pré_sen _ tes je ne sais quoi de contraint et de for _
VOICE AND YOUR MAN-NER _ YOU'RE SO CON-STRAINED AND EX-TREME-LY ILL AT
mf
f
Bl.
pp
Ce qui vous paraît con _ train _ te n'est que
IF I NOW AP-PEAR UN - EAS - Y IT IS
molto
ff
p
Le C.
_cé.
EASE.
45
très doux
molto
pp
m.d.
Bl.
man_que d'ha_bi_tude et mal _ a _ dres _ se. Je n'ai
ON - LY THAT I FEEL A BIT EM - BAR - RASSED. I HAVE
Bl.
pu en_co _ re me faire au bon_heur de
NOT AS YET GROWN COM-PLETE-LY AC - CUS - TOMED TO
f
p

mf molto
Bl.
vivre heureuse et dé_li_vré - e.
LIVE IN HAP-PI-NESS AND FREE - DOM.
Le Chevalier
En animant
f
Heu_reu_se peut
PER-HAPS YOU ARE
p
pp
m.g.
m.d.
Le C.
ê - tre, mais non pas dé_li_vré - - e. Il n'est
HAP - PY, BUT I DOUBT YOU ARE FREE! IT IS
céder beaucoup
ralentir encore
pas en vo_tre pou_voir de surmon - ter la na_
NOT WITH-IN YOUR POW'R TO RISE A - BOVE THE LAWS OF

Blanche
Hé quoi, la vie d'une Carmé_li_te
OH COME, YOU SURE-LY DO NOT BE-LIEVE_
Le C.
_tu _ re.
NA _ TURE.
46
Très calme
Bl.
vous pa_raît _ el_le si con_forme à la na_tu_re?
THE LIFE OF A CAR-MEL-ITE CON-FORMS AT ALL TO NA-TURE?
molto agitato ♩ = 100
Dans des temps comme ceux_ci il est plus d'u_ne
IN A TIME SUCH AS THIS THERE ARE WOM-EN GA-
47
haletant
fem _ _ me ja_dis en_vi_ée de tous
LORE WHO WERE FOR-MER-LY EN-VIED BY ALL,

ff très violent
Le C.
qui tro-que-rait vo-lon-tiers sa pla-ce con-tre la vô-tre.
WHO NOW, BE-LIEVE ME, WOULD CHANGE_ PLA- CES WITH YOU GLAD-LY.
long
f
p
(très expressif)
Je vous par-le du-rement, Blan-che, mais c'est que j'ai devant les
IF I'M SPEAK-ING RATH-ER HARSH-LY, BLANCHE_ I MUST BE-CAUSE I SEE BE-
Très calme
pp
48
mf
m.g.
m.d.
yeux l'i-ma-ge de no-tre pè-re res-té seul par-mi
FORE ME THE IM-AGE OF OUR FATH-ER ALL A-LONE A-MONG HIS
Blanche
ff (librement)
Vous me croyez re-te-nue i-ci par la peur?
DO YOU REAL-LY THINK THAT I AM KEPT HERE BY FEAR?
ses va-lets.
SER-VANTS.
pp

animer un peu
Le C.
ff
Ou la peur de la peur.
OR BY YOUR FEAR OF FEAR.
Cet_te peur n'est pas plus ho_no_
AFT-ER ALL, THIS FEAR IS HARD-LY
céder
long
49
Très calme
_rable, après tout, qu'une au_tre peur.
NO-BLER THAN ANY OTH- ER FEAR.
Il faut savoir risquer la peur comme on
YOU HAVE TO RUN THE RISK OF FEAR AS YOU
ris_que la mort,__
RUN THE RISK OF DEATH,__
le vrai cou_rage est dans ce ris_que.
AND IT IS THIS THAT CALLS FOR COUR-AGE.
Blanche
Je ne suis plus désormais i_ci__
FROM THIS DAY ON I CAN ON-LY BE__
que la pauvre pe_ti_te vic_ti_me
THE HELPLESS AND INNOCENT VICTIM

50
Molto agitato ♩= 100
Bl.
de Sa Di-vi-ne Majesté.
OF THE WILL OF O-UR LORD.
Le Chevalier
f
Blan - che, lorsque je suis en-
BLANCHE,___ JUST NOW_ WHEN I
Molto agitato ♩= 100
pp
f
Le C.
-tré tout à l'heure, peu s'en est fal - lu que vous tombiez en fai-bles - se
EN-TERED THIS ROOM_ YOU LOOKED AS IF YOU SURE-LY WOULD COL-LAPSE FROM EX-HAUS - TION.
51
Le C.
ff
et j'ai cru voir,___ à la lu-eur de ce mau-vais quin-quet,
I THOUGHT I SAW,___ BE-NEATH THE FEE - BLE GLIM-MER OF THIS LAMP,
m.d.
ff

Le C.
en u_ne se_con_de, tou_te notre en_fan - - - ce. C'est pro
AS IF IT WERE A VI- SION, ALL OF O-UR CHILD- - - HOOD IT IS
52 (en adoucissant l'expression)
céder beaucoup
_ba_ble_ment par ma_la_dres_se que nous en som_mes ve_nus à des propos
JUST BE- CAUSE WE FELT SO AWK- WARD THAT WE AR- RIVED AT SUCH STRANGE AND BIT-TER WORDS,
f
dolcissimo pp
53 Très calme et tendre
qui sont pres_que des dé_fis. A-t-on chan_gé mon pe_tit liè _ vre?
THAT SEEMED TO GIVE OF- FENSE COULD THEY HAVE CHANGED MY BUN-NY RAB - BIT?
pp
Bl.
Ah! pourquoi voulez-vous jeter de nouveau le doute en moi, comme un poi_son?
AH, WHY MUST YOU FOR-EV-ER FILL ME WITH DOUBT, AS WITH A POI-SON___ THAT DES-TROYS?
54
Tempo agitato ♩= 100
mf

Bl.
De ce poi_son, j'ai fail _ li pé_rir, c'est
AND FROM THIS POI - SON I AL - MOST DIED, IT IS
(dessus)
vrai que je suis une au _ tre.
TRUE THE PAST IS GONE FOR-EV - ER.
Le C.
Strictement au même mouvement
Vous n'a _ vez plus peur de rien?
YOU NO LONG-ER ARE AF - RAID?
55
p (d'une voix détimbrée)
Où je suis, rien ne peut m'attein_dre.
WHERE I AM, NOTH - ING CAN HARM - ME.
céder (librement)
Excessivement lent
♪= 44
p très doux
pp dolcissimo
(Il se dirige vers la porte)
Hé bien, a _ dieu, ma chéri _ e.
VER-Y WELL, GOOD-BYE, MY DAR-LING.
56
librement

57 Molto agitato ♩=100
Bl.
Oh! ne me quittez pas sur un a - dieu de fâche - ri - e!
OH, DO NOT LEAVE ME SO, IN BITTER AN - GER AND DEFI - ANCE.
Hé - las! vous m'a - vez don - né si long -
A - LAS. YOU ARE SO AC - CUS - TOMED TO PRO -
- temps vo - tre com - pas - sion que vous ne pou - vez sans
TECT ME AND PIT - Y ME THAT YOU CAN - NOT SEE YOUR
pei - ne lui sub - sti - tuer cet - te simple es - ti - me que vous don -
WAY TO GRANT ME IN - STEAD THAT RE - SPECT AND UN - DER - STAND - ING

en cédant beaucoup
ppp
Bl.
-nez, à n'impor-te le-quel de vos a - mis!
WHICH YOU WOULD GRANT TO THE HUM-BLEST OF YOUR FRIENDS.
a Tempo agitato
ff
Le C.
58
Blan - che, c'est
BLANCHE, NOW IT'S
en cédant beaucoup
pp
ff
m.d.
vous maintenant
YOU WHO ARE AN - - - - GRY.
qui par-lez bien du-re-
ARE YOU REAL - LY SO RE-
-ment.
SENT -FUL?
p
Il n'y a en moi à votre é-gard que dou-
I FEEL NOTH-ING BUT RE - SPECT FOR YOU AND
59
Très calme
long silence
pp

Bl.
ppp
_ceur et tendres_se. Mais je ne suis plus ce pe_tit liè_vre.
TEN_DER AF_FEC_TION. BUT I AM NO LONG-ER THAT LIT-TLE BUN-NY RAB_BIT.
pp
Ped.
pp très doux
Je suis u_ne fil_le du Carmel qui va souffrir pour
I NOW AM A DAUGH-TER OF GOD, WHO WILL SUF - FER FOR
Très doux et calme ♩ = 56
pp m.d.
mf
vous et à la_quel_le je voudrais vous de_man_
YOU, AND WHOM I ASK YOU MOST SIN-CERE-LY TO AC-
mf
f p pp ppp
_der de penser comme à un compagnon de lut - te,
CEPT ONCE AND FOR ALL, AS A COM-PA - NION IN BAT - TLE.
portando
f mf p pp ppp

surtout sans presser
Bl.
car nous al - lons com - bat - - tre cha -
FOR WE'RE GO-ING IN - TO BAT - TLE, EACH
- cun à no - tre ma - niè - - - re, et la
ONE OF US IN HIS OWN WAY. AND
mienne a ses ris - ques et ses pé - rils comme la vô - tre.
MINE HAS ITS RISKS AND ITS DAN - GERS, THE SAME AS YOURS.
molto
(Le Chevalier enveloppe Blanche d'un long regard indéfinissable et sort. Blanche se retient a la grille pour ne pas tomber. Mère Marie de l'Incarnation s'avance.)
Mère Marie (brusque)
Remet - tez-vous, Sœur Blan - che.
COM-POSE YOUR-SELF, SIS-TER BLANCHE.
60 Extrêmement lent ♩= 44 long
Tempo agitato

Blanche
Oh! ma Mè_re, n'ai-je pas menti? Ne sais-je pas qui je suis? Hé_
OH, MY MOTH-ER I HAVE TOLD A LIE. DO I NOT KNOW WHAT I AM? A-
très long
Bl.
_las! J'é_tais si har_ra _ sée de leur pi_tié! que Dieu me pardon _ ne!
LAS, I COULD NOT BEAR THEIR PIT - Y AND CON-TEMPT, MAY GOD FOR - GIVE ME!
très long
Très lent et très calme
pp morne
La douceur m'en écœurait l'âme. Oh! ne se_rai-je jamais pour eux qu'une en_
I'M EN-SLAVED BY THEIR GEN-TLE-NESS._ AH, WILL THEY ALWAYS CONSIDER ME JUST A
_fant?
CHILD?
61
Mère Marie
Al_lons, il est temps de par_tir._
Très paisible
COME A-LONG. IT IS TIME WE WERE GO-ING.

Blanche
J'ai é_té orgueilleuse et je se_rai pu_ni_e.
I WAS PROUD_ AND NOW I SHALL BE PUN-ISHED FOR IT.
62
Mère Marie
Il n'est qu'un mo_yen de ra_bais_ser son orgueil, c'est de s'é_le_
THERE IS BUT ONE WAY FOR YOU TO CON-QUER PRIDE AND THAT IS TO
(Retenant la taille un peu ployée de Blanche, elles sortent)
M. M.
_ver plus haut que lui. Te_nez-vous fiè_re.
TRY TO RISE A-BOVE IT! YOU MUST HAVE COUR-AGE.
Strictement du même mouvement (sans presser surtout)
éclatant
m.g.
sec
Alexandrie, Mars 54

(V)

Acte II

Avant le 4e tableau (No 63)
attaquer après un très long silence :

(durée 0'45")

Très calme et recueilli

enchaîner directement

4e TABLEAU

La sacristie du Carmel. Il y a deux portes; une grande donne sur le cloître, l'autre sur la clôture. Fenêtre sur le cloître. L'Aumônier, entouré de toutes les religieuses, achève de ranger les ornements sacerdotaux dans un placard, tandis qu'il prend congé de la communauté.

p mélancolique
L'A.
tions et proscrit. Cet_te mes_se que je viens de dire est la der_
FORM - ING MY DU - TIES. AND THE MASS I'VE JUST COMPLETED HERE WILL BE MY
64
p clair
(beaucoup de pédale)
L'A.
niè - re. Le ta_ber_nacle est
LAST ONE. THE HOUSE OF GOD IS
p
L'A.
f
vi - de. Je ré - pète au_jourd'hui le ges_te de nos
EMP - TY. I PAR - TAKE TO-DAY OF THE GRIEF OF O - UR
3
L'A.
p
pre_miers pè_res chré_tiens. Ce jour est un grand
EAR - LY CHRIS-TIAN FATH - ERS. TO - DAY'S A VER - Y
p
(beaucoup de pédale)

L'A.
f
jour pour le Car_mel. A _ dieu ___ je vous bé_nis. ___
GREAT DAY FOR CAR_MEL. GOOD _ BYE ___ I BLESS YOU ALL. ___
mf
(Toutes les religieuses tombent à genoux)
Nous al_lons chanter en _ semble.
LET US NOW SING TO _ GETH _ ER.
f
(dessus)
65
ff au même mouvement
A _ ve ___ ve_rum corpus natum ex Ma_ri _ a Vir_gi_ne.
ff
Les Religieuses
Sop. Mez. Contr.
f
p subito
Ve _ re passum im _ mo_la_tum in ___ cru_ce pro ho_mi _ ne.
f
mf

L'A.
Les R.
66
ff
p subito
Cu - jus la-tus per-fo-ra - tum Un - da flu - xit
f
Es - to no-bis præ-gus-ta-tum Mor - tis in ex-
et sangui-ne
-a - mi - ne.
pp
O pi - e!
O cle - mens!

(Les religieuses se relèvent)
(Blanche se trouve placée juste à coté de l'Aumonier)
L'A.
O Je_su fi_li Ma_ri_æ. A_men.
pp
Blanche
f
Qu'allez-vous de_venir?
BUT WHAT- WILL BE-COME OF YOU
(très librement)
L'Aumonier
f
Rien d'au_tre que ce que je suis à cet ins_tant
NOTH-ING DIF-F'RENT THAN I AM AT THIS VER-Y
67
sf
(au comble de la frayeur)
Bl.
mf
Mais si ce qu'on raconte est vrai,__ ils vous tueront,
BUT, IF WHAT I HEAR IS TRUE,__ YOU WILL BE KILLED,
L'A.
mê_me, un proscrit.
MO-MENT, AN OUT-CAST.
mf

Bl.
s'ils vous re-connaissent.
IF THEY EV-ER FIND YOU,
(très librement)
L'A.
Ils ne me re-connaî-tront — peut-ê-tre pas.
THEY WILL NOT RECOGNIZE ME — SO DO NOT FEAR.
(surprise)
Bl.
Vous vous dé-gui-se-rez?
YOU'RE GOING IN DIS-GUISE?
(très bref)
L'A.
Oui — tels sont les or-dres que nous a-vons re-
YES — THESE ARE THE OR-DERS THAT WE HAVE JUST RE-
(très doux)
L'A.
-çus. Chè-re Sœur Blan-che, votre i-ma-gi-na-tion s'é-
CEIVED. 68 SIS-TER, BE-LIEVE ME, YOUR IMAG-I-NA-TION IS
Très calme
(très tendre)
L'A.
-chauf-fe toujours trop vi-te. Oui, mon en-fant. —
FAR TOO EAS-I-LY EX-CIT-ED. YES, MY DEAR CHILD, —

L'A.
Ras_su_rez - vous. Je res_te - rai près de cet_te mai_
YOU NEED NOT FEAR! FOR I'LL RE - MAIN NOT FAR FROM OUR
(Sur le seuil de la grande porte, il la bénit d'un geste)
(il sort)
L'A.
p
pp
_son. J'y viendrai le plus souvent pos - si - ble.
HOUSE. AND WILL RETURN AS OF-TEN AS I CAN.
(très calme, Mère Marie pousse les lourds verrous de la grande porte.)
Sr Constance
f
69
Est-il croya_ble qu'on laisse ainsi traquer les prêtres dans un pays chrétien? Les Fran_
HOW CAN IT BE THAT PRIESTS ARE HOUND-ED IN THIS FASH-ION AND IN A LAND OF CHRIS-TIANS? HAVE THE
sf
Sr C.
_çais sont-ils main_tenant si lâches?
FRENCH NOW BE-COME SUCH AWFUL COWARDS? (très dur)
Sœur Mathilde
ff
Ils ont peur. Tout le monde a peur. Ils se
THEY'RE A-FRAID... EV'-RY-ONE'S A-FRAID THEY IN-
f
ff

long silence
Sr M.
don - nent la peur les uns aux autres, comme en temps d'épi-démie, la peste ou le cho-lé-ra.
FECT ONE AN-OTH-ER WITH THEIR PANIC, JUST AS THEY MIGHT GIVE EACH OTH-ER SMALL-POX OR CHOL-ER-A.
long silence
ff
Blanche (comme malgré elle, d'une voix presque sans timbre)
pp
La peur est peut - être, en ef-fet, u-ne ma-la - die.
PER-HAPS YOU ARE RIGHT A-BOUT FEAR, IT'S REAL-LY AN ILL-NESS
70
Très lent
pp
Sœur Constance
N'y aura-t-il pas de bons Fran-çais pour prendre la dé - fen-se de nos prê-tres?
BUT ARE THERE NO MEN LEFT HERE IN FRANCE TO COME TO THE DE - FENSE OF O-UR PRIESTS?
71
molto più mosso
f
La Prieure
Très c le
f
Quand les prê-tres man - quent, les mar - tyrs su-ra-bon - dent
WHEN THERE ARE NOT PRIESTS E-NOUGH, THERE ARE PLEN-TY OF MAR - TYRS,
f

La Pr.
et l'é_qui_li_bre de la grâ_ce se trouve ain _ si ré_ta_bli.
AND THUS THE BAL-ANCE OF GRACE IS VER - Y PROMPT-LY RE-STORED.
f
(d'une voix martelée et pleine de passion contenue)
Mère Marie
f
Il me semble que l'Esprit-Saint vient de par_ler par la bouche de Sa Révé_
I AM CER-TAIN THE HO-LY GHOST RE-VEALED THE TRUTH THRO THE MOUTH OF O-UR REV'REND
72
Sans presser
f
6
M. M.
_ren _ ce. Pour que la France ait en _ co_re des prê_tres,
MOTH - ER, SO THAT IN FRANCE WE MAY A - GAIN HAVE PRIESTS,
(très lyrique)
p subito
p subito
Ped.
M. M.
les fil_les du Car_mel n'ont plus à don_ner que leur vie.
THE DAUGHTERS OF CAR - MEL HAVE ON- LY TO OF-FER THEIR LIVES.
3
f

73
La Prieure
(très fermement)
Vous m'avez mal en_tendue ma Mè - re,
ou du moins vous m'avez mal compri - se.
I AM A-FRAID THAT YOU DID NOT HEAR ME,
OR AT LEAST YOU DID NOT UNDERSTAND ME.
Presser beaucoup
céder beaucoup
m.g. en dehors
(très doux et serein)
sub.pp
La Pr.
Ce n'est pas à nous de dé - ci - der si nous au - rons ou non, plus
IT IS NOT FOR US TO DE - CIDE IF O- UR NAMES SHALL BE IN-
Très calme
pp subito - très doux
(Elle sort suivie de Mère Jeanne. Toutes les religieuses, interdites,
tard, nos pau_vres noms dans le bré - viai - re.
SCRIBED A -MONG THE NAMES OF BLESS-ED MAR - TYRS.
Extrêmement calme
p
m.g. en dehors
(violents coups de clochette du tour)
regardent Mère Marie.)
74
Allegro molto ♩= 144
ff

Sœur Constance
On a ti-ré la clochette!
SOME-ONE IS RING-ING THE BELL! -
Sœur Mathilde
Il faut tout de sui-te regar - der a la por-te du la-
YOU MUST GO AT ONCE AND TAKE A LOOK AT THE DOOR BE-HIND THE
S! M.
-voir.
STAIRS.
(L'Aumonier surgit par la petite porte)
très sec
La Foule (on entend le murmure de la foule, dans la coulisse)
Sop.
Mez.
Tén.
Bas.
Oh
L'A.
75
J'ai fail - li me trou-ver
I WAS VER - Y NEAR-LY

Sop.
Mez.
Ten.
Bas.
L'A.
Oh
pris en_tre la foule et u_ne pa_
CAUGHT BET-WEEN THE CROWD AND ALL THE
_trouil _ le.
SOL - DIERS.
Je n'a_vais d'au_tre res_sour_ce
SO I HAD NO CHOICE BUT TO RE-
mf léger

Sœur Constance
Res_tez a_vec nous, mon Pè_re.
YOU MAY STAY WITH US, MY FATH – ER.
L'A.
que ren_trer i_ci.
TURN TO YOU AT ONCE.
L'A.
Je ne sau_rais que vous com_pro_met_tre.
I WOULD NOT WISH TO PUT YOU ALL IN DAN – GER.
mf léger
L'A.
Il faut que je par_te. Lors_que le cor_tè_ge se_
I WILL HAVE TO LEAVE YOU... WHEN THE CROWD AS – SEM – BLES TO
L'A.
_ra ras_sem_blé sur la pla_ce de
WATCH THE PRO–CES – SION, THEY'LL BE GATH – ERED IN

L'A.
la Mu-ni-ci-pa-li-té, les rues se-ront li-bres.
FRONT OF THE CIT-Y HALL, THE STREETS WILL BE DE-SERT-ED.
sec Trompette
(La foule se rapproche)
Sop.
Ah
Mez.
Ah
Ten.
Ah
Bas.
Ah
Sœur Constance
E-cou-tez!
HERE THEY COME!
Sœur Mathilde
E-cou-tez!
HERE THEY COME!
76

Sop.
Mez.
Ten.
Bas.
Ah
Ah
Ah
Ah
Toutes les religieuses
Les voi-là.
THEY ARE HERE!
L'Aumonier
J'ai peut-ê-tre trop at-ten-du. Que de-
I HAVE WAIT-ED MUCH TOO LONG. WHAT WILL
L'A.
-vien-dri-ez-vous, mes fil-les, s'ils me prenaient chez vous?
HAP-PEN TO YOU, MY DAUGHTERS, IF THEY SHOULD FIND ME HERE?
77
ff éclatant

(Les religieuses se massent toutes dans un coin à l'exception de Mère Marie)
Sop.
Mez.
Ten.
Bas.
Ou_vrez la por _ te, ou_vrez la por _ te!
YOU'D BET-TER O - PEN! WHY DON'T YOU O - PEN!
(coups dans la porte)
(L'Aumonier se sauve par la petite porte)
Ou _ vrez la por - te,
YOU'D BET - TER O - PEN,
(crié)
Les R.
N'ou_vrez pas! N'ou_vrez pas!
WE WILL NOT! WE WILL NOT!
(coups contre la porte)

(Long silence pendant lequel on entend le murmure de la foule. On crie: Ouvrez, allez-vous ouvrir? On frappe de plus en plus fort à la porte.)

(OPEN UP, - ARE YOU GOING TO OPEN?)

(à Sœur Constance)

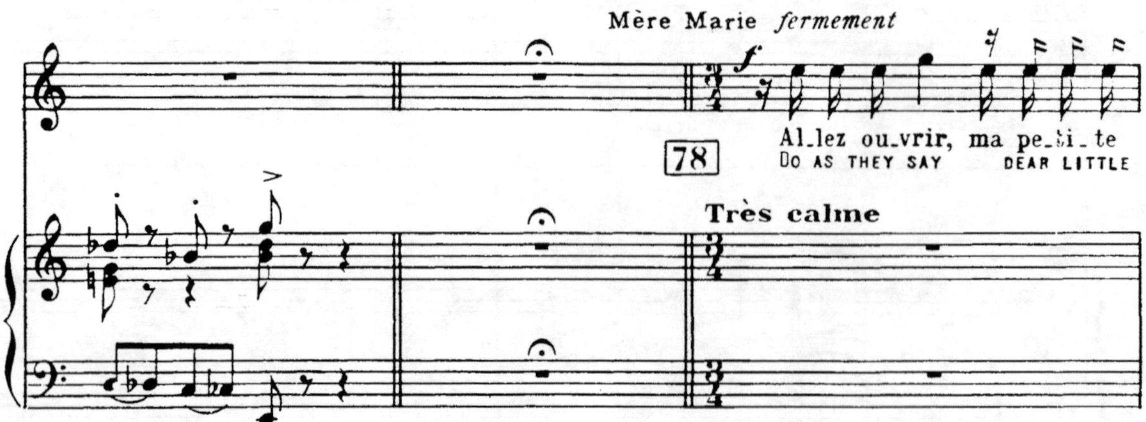

(Entrée des quatre Commissaires. Deux (figurants) restent près de la porte. La foule est maintenue par des gardes armés de longues piques.)

(D'un pas sûr, Sœur Constance va ouvrir les verrous)

M. M.
mf
Ce_la ne dépend que de vous.
THAT DE-PENDS UP-ON NO ONE BUT YOU.
2e Commissaire (il lit)
f
„"Ain _ si qu'en a dé_ci_dé
WHERE - AS IT WAS DE - CID-ED BY THE
Très calmement ♩= 72
79
mf
2e C.
l'As_sem_blée Lé_gis_la_ti_ve,
LEG - IS - LA-TIVE AS - SEM - BLY,
sié_geant le dix-sept A_oût
IN SES - SION THE SEVENTEENTH OF AU-GUST
Dix sept cent quatre vingt dou _ ze:
SEV-EN-TEEN HUN-DRED NINE-TY - TWO,
Pour le premier Oc_to_bre pro-
BY THE FIRST OF OC-TO - BER,
très lié
quasi pizz.
_chain, toutes les maisons en_core ac_tu _ el_lement oc_cu_pé_es par des re_li_
NEXT, ALL HOUS-ES OF RE-TREAT AT PRE-SENT STILL OC-CU-PIED BY THE AC-TIVE MEM-BERS OF RE-

2e Com.
-gieuses ou par des re_li_gieux se_ront é_vacuées par les
LIG-IOUS SO-CI-E-TIES AND OR-DERS HAVE TO BE VA-CA-TED AT
dits re_ligieux et re_ligieu_ses et se_ront mi_ses en vente à la di_li_gen_ce
ONCE BY THE A-FORE_MEN-TIONED PAR-TIES AND MUST BE OF-FERED FOR SALE WITH THE FULL AP-PRO-VAL
des corps ad_mi_nistratifs."_
OF THE PROP-ER AU-THOR-I-TIES._
1er Commissaire
A_vez-vous u_ne réclamation à formu_ler?
IS THERE AN-Y-THING IN THIS DE-CREE TO WHICH YOU OB-JECT?
80
Très librement
Mère Marie
Que pourrions-nous réclamer, puis_que nous ne disposons dé_jà plus de rien?_
HOW CAN WE POS-SI-BLY OB-JECT, WHEN YOU'VE LEFT_ US NOTH-ING AT ALL TO DE-CIDE?_

(fermement)
M. M.
Mais il est indispen - sa_ble que nous nous procurions des vêtements,
BUT IT REAL-LY IS ES - SEN-TIAL THAT WE OB-TAIN SOME AP-PRO-PRIATE CLOTHES,
puis_que vous nous in_ter_di - sez de por_ter ceux-là.
SINCE YOU PRO-HIB-IT US FROM WEAR-ING THE ONES WE HAVE
1er Commissaire
(falsetto)
Soit!
GOOD!
81
(goguenard)
1er Com.
E - tes vous donc si pres_sé_es de quit_ter ces dé - fro_ques,
ARE YOU THEN SO VER-Y EA-GER TO THROW OFF YOUR RI-DIC-U-LOUS GAR-MENTS
Poco più mosso ♩= 84
p léger et mordant
(dessus)
et de vous ha_bil_ler com_me tout le mon_de?
AND TO BE DRESSED THE SAME AS EV'-RY-BO-DY ELSE?_

M. M.
Je vous répondrais bien que ce n'est pas l'u_ni_forme qui fait le soldat.
SURE -LY YOU UN-DER-STAND IT IS NOT THE UN-I- FORM WHICH MAKES THE SOL-DIER FIGHT.
M. M.
Sous n'importe quel ha_bit nous ne se_rons jamais que des ser_van_tes.
NO MAT-TER WHAT WE WEAR WE ARE AND AL-WAYS WILL BE HUM-BLE SERV-ANTS.
1er Commissaire
Le peu_ple n'a pas be_soin de ser_van_tes.
THE PEO- PLE HAVE NO MORE NEED OF SERV-ANTS.
Mère Marie
Mais il a grand be - soin de mar_tyrs, et c'est
BUT THEY HAVE TRU - LY A GREAT NEED OF MAR - TYRS AND

M. M.
1er Com.
là un ser - vi - ce que nous pou - vons as - su - mer.
THIS BUR - DEN WE ARE TRU - LY PRE - PARED TO AS - SUME.
(goguenard)
Peuh!
BAH!
82
En des temps comme ceux-ci
WHEN THERE'S DEATH ON EV'-RY HAND,
mourir n'est rien.
TO DIE IS NOTHING!
Vi - vre n'est rien,
TO LIVE IS NOTHING,
lors - que la vie est dé - va - luée jus-qu'au ri - di - cule, et
WHEN LIFE IS THOR-OUGH - LY DE - BASED AND DE-VOID OF VAL - U.

(méprisant)
M. M.
n'a pas plus de prix que vos as_si_gnats.
HAV - ING NO MORE WORTH THAN YOUR PAPER MONEY.
1er Com.
ff
Ces pa_ro_les -
WHAT YOU SAID WOULD
f
1er Com.
là pourraient vous coûter cher si ___ vous les disiez à un au_tre que moi!
SURE-LY COST YOU VER-Y DEAR IF ___ YOU HAD BEEN HEARD BY AN-Y -ONE BUT ME!
mf
(à la Mère Marie, en aparté)
subito pp
1er Com.
Me pre_nez-vous pour un de ces bu_veurs de sang?
83
CAN YOU BE - LIEVE THAT I AM LIKE THE REST OF THEM?
très léger
pp subito

1er Com.
J'é_tais sa_cris_tain à la pa_rois_se de Chel - les,
IN THE CHURCH AT HOME, I SERVED TWO YEARS AS SAC - RIS-TAN,
1er Com.
le sei_gneur vi_caire é - tait mon frère de lait.
O - UR NO - BLE PRIEST... I LOVED HIM LIKE A BROTH - ER.
(Le calme de la Mère Marie intimide le commissaire)
toujours p
1er Com.
Mais il faut bien que je hurle a_vec les loups!
YET I'VE NO CHOICE BUT TO HOWL WITH ALL THE WOLVES!
p
ff
Mère Marie
Très librement
f
mf
Ex_cusez-moi si je vous demande des preuves de votre bon vou - loir.
84
YOU WILL FORGIVE ME, BUT I MUST ASK YOU TO PROVE YOUR LOYALTY AND GOOD - WILL.
Tempo très calme

1er Commissaire
mf
J'emmène a_vec moi les commissair's et la pa_trouil_le. Il ne res_te_
I WILL MAN-AGE SOME-HOW TO GET RID OF THE PA - TROL. YOU WILL BE A-
mf
(à part à la Mère Marie)
surtout sans presser
1er Com.
p
_ra i_ci, jusqu'au soir, que les ou_vri_ers. Méfiez-vous du
LONE UN-TIL THE WORKMAN COMES LAT - ER ON TO-NIGHT. BUT BE-WARE THE
p
(chuchoté)
1er Com.
pp
for_ge_ron Blancard. C'est un dénonciateur.
BLACK-SMITH NAMED BLAN-CARD, FOR HE IS AN INFOR - MER.
mf
pp

(Extrêmement long silence pendant lequel les commissaires se retirent. Brouhaha de la foule qui s'éloignent. Rires. Mère Marie va refermer la grande porte. La musique ne reprend qu'une fois les verrous poussés et Mère Marie revenue au milieu de la scène.)

(Les religieuses interdites ne savent que faire. Quelques-unes prient. Blanche, comme un pauvre oiseau blessé, est affalée sur un petit tabouret. Pendant toute la scène précédente elle s'était cachée derrière les autres religieuses.)

85
Bien lent ♩ = 50
p bien doux

(Mère Jeanne entre par la petite porte de la clôture)

M.
J.
vous sa_vez que la nuit de No_ël, on por_tait nô _ tre Pe_tit Roi dans
EV'RY CHRISTMAS EVE, AS YOU WELL KNOW, WE WOULD CARRY THE IN-FANT JE- SUS
p
chaque cel_lu_le. J'es_pè_re qu'il vous donne _ ra du cou_ra_ ge.
IN-TO EACH CELL. I TRUST HE WILL BRING YOU BOTH HOPE AND COUR - AGE.
(prenant le Petit Roi dans ses bras)
Blanche
(sourde rumeur en coulisse)
pp
Oh! qu'il est petit!__ qu'il est fai_ble!
OH, HE IS SO TI - NY... AND SO FRAIL.__
Mère Marie
f
Non! qu'il est petit!
No! THO' HE IS LITTLE
87
pp
f

(Foule dans la coulisse)
Sop.
Mez.
Ten.
Bas.
Ah! ça i-ra, ça i-ra ça i-ra!
AH! WE'LL WIN, WE'LL WIN, WE'LL WIN!
(Elle laisse échapper le Petit Roi qui se brise sur les dalles.)
88
crié
Bl.
Ah!
M. M.
et qu'il est puissant!
YET HE IS SO STRONG!
f très sec
(terrifiée, avec l'expression d'une stigmatisée.)
Bl.
Le pe-tit Roi est mort!
THE INFANT KING IS DEAD!
Il ne nous reste plus
AND NOTHING LEFT TO US
que l'Agneau de Dieu.
BUT THE LAMB OF GOD.
long
Très lent
long

Le double plus vite (très enlevé) 𝅗𝅥 = 92
(en coulisse)
Sop.
Mez.
Ten.
Bas.
Ah! ça i - ra ça i - ra.
AH! WE'LL WIN, WE'LL WIN!
Ah! ça i - ra ça i - ra.
AH! WE'LL WIN, WE'LL WIN!
Ah! ça i - ra ça i - ra.
AH! WE'LL WIN, WE'LL WIN!
Ah! ça i - ra ca i - ra.
AH! WE'LL WIN, WE'LL WIN!
89
Le double plus vite (très enlevé) 𝅗𝅥 = 92
ff très gai
90
RIDEAU
sec
Cannes, Mars 53

ACTE III

1er TABLEAU

La Communauté est rassemblée dans la chapelle, entièrement dévastée. Tout est plein de paille, de plâtras, la grille du chœur est en partie descellée. Une religieuse fait le guet près de la porte. Quelques chandelles. Les habits civils, très modestes, de l'Aumonier sont maculés de terre, ses chaussures pleines de boue; une manche déchirée pend le long du bras. Mere Marie, ferme et calme est entourée des religieuses. Constance et Blanche sont côte à côte, mère Jeanne et sœur Mathilde de l'autre côté de la scène.

f
2
ff
m.d.
molto
m.d.
RIDEAU
Mère Marie
p
Par-lez-leur, mon Pè-re,
FATHER, SPEAK TO THEM,
3
pp très doux
p
M.
M.
el-les sont depuis longtemps dis-po-sé-es
I AS - SURE YOU THEY ARE FUL - LY PRE - PARED
p

M. M.
à l'en_ga_gement qu'elles vont pren_dre.
FOR THE PLEDGE THAT THEY ARE TAKING.
L'Aumonier
mf
Ce_la n'est
IT'S HARDLY_A
4
p
L'A.
pas tout à fait de mon mi_nistère et je crois plus con_ve_nable, en l'absence for_cé_e
DU-TY OF MINE; SO I THINK IT WOULD BE MORE AP-PRO-PRI-ATE_ IN THE UN-A-VOID-A-BLE AB-SENCE
mf
L'A.
de Sa Ré_vé_ren_ce, que vous parliez vous - même à la Communau_té.
OF THE REV'-REND MOTH-ER, THAT YOU YOURSELF AD-DRESS THE COMMU-NI-TY._
p
mf
Mère Marie (très décidée)
f
Mes fil_les, je propo_se que nous fassions ensemble le vœu du marty_re
MY DAUGHTERS, I PRO-POSE THAT WE TAKE UPON OUR-SELVES THE VOW_OF MARTYRDOM
5
3
pp
f

(Aucun enthousiasme. Les sœurs se regardent entre elles.)
M.
M.
pour méri_ter le maintien du Carmel et le sa_lut de no_tre patrie.
SO THAT WE'LL MER-IT THE SAFE-TY AND WEL-FARE OF OUR OR-DER AND OUR LAND.
Je me fé_li_ci_te de vous voir accueil_lir cet_te pro_po_si_tion aus_
I'M HAP-PY TO NO-TICE YOU AC-CEPT MY PRO-POS-AL JUST AS RE-LUC-TANT-LY
_si froi_dement que le Seigneur m'ins_pi_re de la fai_re.
AS OUR DEAR FATH-ER IN HEAV'N IN-SPIRES ME TO MAKE IT.
Il ne s'a_git pas en ef_fet d'offrir nos pauvres vi_es en nous fai_
YET IF WE SHOULD FIN'LLY DE-CIDE TO OF-FER O-UR LIVES, WE HAVE NO IL-
6

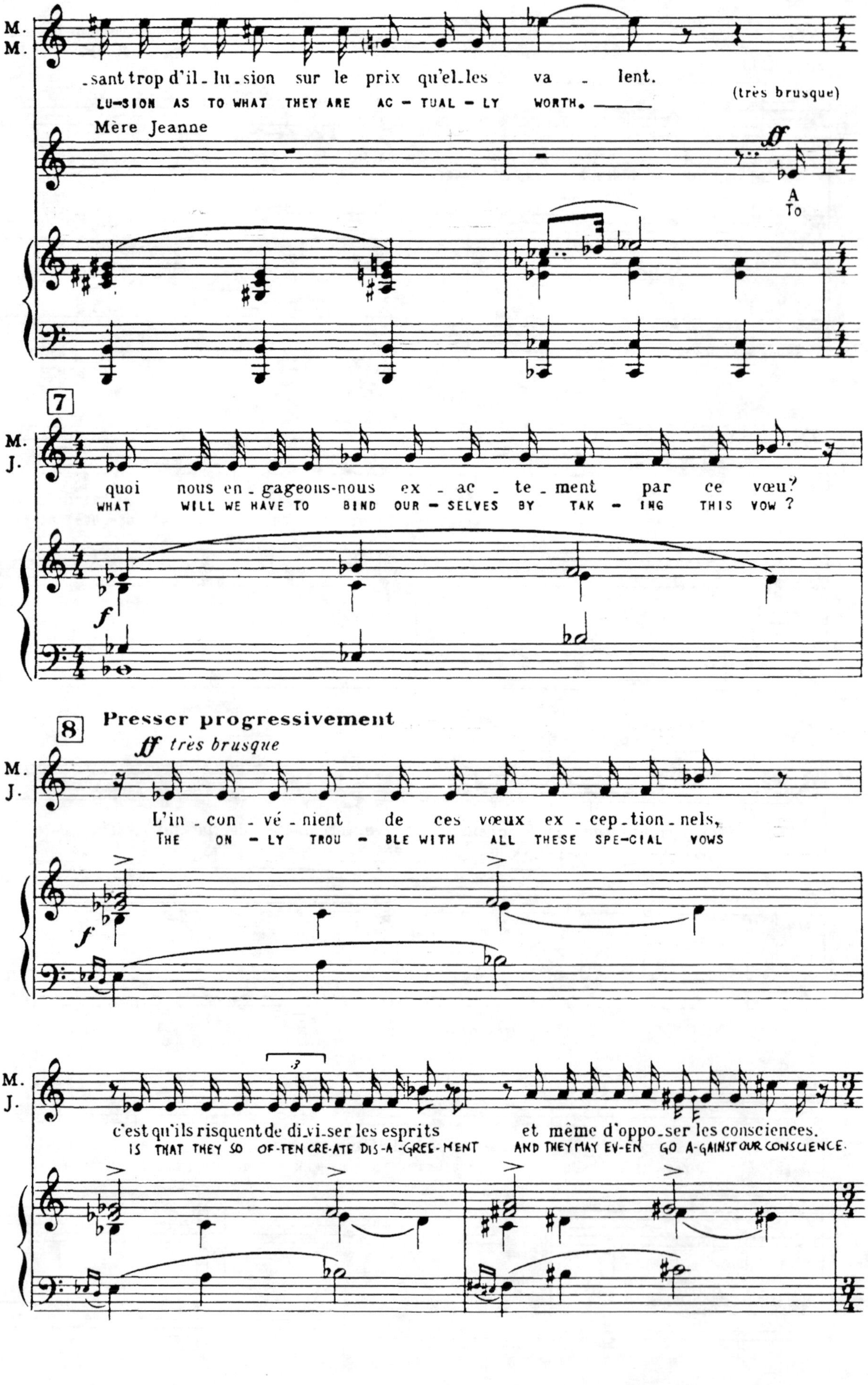
M.
M.
-sant trop d'il-lu-sion sur le prix qu'el-les va - lent.
LU-SION AS TO WHAT THEY ARE AC - TUAL - LY WORTH.
(très brusque)
Mère Jeanne
A
To
7
M.
J.
quoi nous en-gageons-nous ex - ac - te - ment par ce vœu?
WHAT WILL WE HAVE TO BIND OUR - SELVES BY TAK - ING THIS VOW ?
8
Presser progressivement
très brusque
M.
J.
L'in - con - vé - nient de ces vœux ex - cep - tion - nels,
THE ON - LY TROU - BLE WITH ALL THESE SPE-CIAL VOWS
M.
J.
c'est qu'ils risquent de di-vi-ser les esprits et même d'oppo-ser les consciences.
IS THAT THEY SO OF-TEN CRE-ATE DIS-A-GREE-MENT AND THEY MAY EV-EN GO A-GAINST OUR CONSCIENCE.

très violent
M.
M.
Voi - là pour_quoi j'ai toujours pen_sé
AND THAT IS WHY I'VE AL-WAYS BE-LIEVED
9 En animant
ff
ff
que le prin_cipe et l'oppor_tu_ni_té d'un tel vœu devaient ê_tre reconnus par toutes.
THAT WE SHOULD KNOW AND RE-COG-NIZE THE GREAT OP-POR-TU-NI-TY WHICH SUCH A VOW MUST SURE-LY BRING US.
céder
f
p
très calme
p subito
L'oppo_si_tion d'une seule d'entre vous m'y fe - rait renon_cer sur le champ.
IF THERE SHOULD BE EV-EN ONE OF YOU A-GAINST IT WOULD SUF - FICE TO STOP ME AT ONCE.
10
pp subito
subito très calme
p
Mon in_ten_tion est que nous dé_ci - dions de la cho_se par un
I WOULD SUG-GEST WE COME TO A DE - CI-SION AT ONCE BY A
pp

M. M.
vo_te se_cret. Du moins, Monsieur l'Aumo_nier re_ce_vra-t-il nos ré_
SE-CRET VOTE. AT LEAST OUR CHAP-LAIN WILL LIS-TEN TO OUR AN-SWERS IN
mf
(aux vieilles religieuses)
pp très doux
_pon_ses et sous le sceau du Sacrement. Ce_la vous ap_porte-t-il tou_
SE-CRET AND WITH THE SEAL OF SACRA-MENT. DOES THIS SERVE TO CLARIFY THE
11
ppp
_te sa_tisfaction, mes mè_res?
IS-SUES THAT YOU RAISED, MY MOTH-ERS?
Mère Jeanne
pp très doux
Un grand a pai_sement du moins.
AT LEAST IT SETS OUR MINDS AT REST.
L'Aumônier
Il suf_fi_ra que vous pas_siez tour à tour der_riè_re l'autel.
IT WOULD BE BEST IF YOU WOULD PASS ONE BY ONE BE-HIND THE AL-TAR
f

*Reprendre les accords dans la pédale, sans frapper.

(stupéfaction générale
Blanche commence à pleurer, la tête dans ses mains.)
Sœur Constance
Il s'a-git de moi.
TRU-LY IT WAS I!
Mon - sieur l'Au-mô-nier
THE FATH - ER WILL VOUCH THAT
Molto agitato subito
Sr C.
sait que je dis vrai.
I HAVE TOLD THE TRUTH.
Mais... mais... je me dé -
BUT... BUT... NOW I AM
Subito très lent
-cla - re main-te-nant d'ac - cord a - vec vous tou - tes et... je...
FUL-LY IN A-GREE-MENT WITH ALL OF YOU, MY SIS - TERS, AND... I...
très doux et intense
je dé - si - re... Je vou-drais que vous me laissiez pro-non -
WOULD YOU LET ME?... MAY I ASK THAT I BE PER-MIT-TED TO

infiniment doux
subito pp
Sr C.
-cer ce vœu. Je vous en supplie au nom du bon Dieu.
TAKE THIS VOW I BEG OF YOU IN THE NAME OF OUR LORD.
pp
ppp
L'Aumônier
très doux et très calme
p
J'en dé-cide ain-si. Re-joi gnez vos com-pa - gnes.
14
I SO DE-CIDE. NOW RE-JOIN YOUR COMPAN-IONS.
pp très doux
L'A.
Vous viendrez i - ci deux par deux.
YOU'LL COME TO THE AL - TAR, TWO BY TWO.
(L'Aumônier revêt ses ornements)
L'A.
mf
Sœur Sacris-ti - ne, ouvrez le li-vre des Saints E-van - gi-les et posez
COME HERE, DEAR SIS-TER, O-PEN THE BOOK OF THE HO - LY GOS-PEL AND PLACE IT
pp très doux

(La sacristine pose l'Evangile sur le prie-Dieu)
L'A.
le sur le prie - Dieu.
HERE UP-ON THE CHAIR.
p
L'A.
Les plus jeu_nes d'a_bord.
LET THE YOUNG-EST AP-PROACH.
Sœur Blanche et Sœur Constance, je vous prie.
SIS-TER BLANCHE AND SIS-TER CON-STANCE, IF YOU PLEASE!
pp
(Blanche et Constance s'agenouillent et offrent leur vie à Dieu)
(Les autres religieuses se poussent pour prendre leur rang. Blanche, à la faveur de ce brouhaha, s'enfuit.)
15
mf
p
8va b
RIDEAU SPÉCIAL
8
fff sec
Cannes. Mars-Avril 53

(VI)

Acte III

Avant le 1er interlude ajouter ceci :

(durée 0'20")

Bien calme

enchaîner directement

I. INTERLUDE

Trois officiers entrent, par la gauche, devant le rideau. Presque aussitôt, venant de droite, les Carmélites, Prieure en tête, s'avancent lentement, tenant de maigres baluchons à la main. Seul, le premier officier prendra la parole.

1er Of.
Mais nous vous a_ver_tis_sons que la Na_tion au_ra
BUT I HAVE TO WARN YOU NOW THAT WE SHALL HENCEFORTH BE
dé_sor_mais les yeux sur vous.__ Pas de vie, de Com_munau_té,
CAREFUL TO OB-SERVE YOU ALL.__ NO MORE LIVING IN COM-MU-NI-TIES..
18
pas de re_la_tions a_vec les en_ne_mis de la Ré_pu_bli_que,
NO MORE DEALING WITH THE EN'MIES WHO OP-POSE O-UR DEAR RE-PUB-LIC!
ni a_vec les prêtres réfractai_res, suppôts du Pape et des Tyrans.
NOR WITH PRIESTS WHO PLOT AGAINST THE STATE. HENCHMEN OF THE POPE AND OF TYR-ANTS!

19
1er Of.
mf
Dans dix mi _ nu _ tes, vous viendrez prendre, une à une, au bureau,
YOU WILL AP-PEAR BE-FORE THE COURT TODAY, ONE BY ONE, AND RE-CEIVE THE
mf
1er Of.
le cer_ti_fi_cat qui vous permet _ tra de jouir de nouveau des bien_
CARD THAT WILL AL-LOW YOU TO EN - JOY ONCE A - GAIN ALL THE
(Il sort, suivi
1er Of.
_faits de la li_ber_té sous la surveil_lan _ ce des Lois.
BLES - SINGS OF LIB-ER-TY UN-DER THE WATCHFUL EYE OF THE LAW.
céder
des autres officiers)
(D'un geste, la Prieure retient les Carmélites)
La Prieure
f
Sœur Gérald, il faut ab_so_lu_ment pré_venir le prê_tre.
SIS - TER GERALDINE, WE HAVE TO WARN THE PRIEST AS SOON AS IT IS POS-SI-BLE.
Excessivement lent
20
pp
sf
sec

La Pr.
Nous é_tions con_ve_nus qu'il de _ vait cé_lé_brer aujourd'hui la Sain_te
WE A - GREED, HE AND I, THAT HE'D SAY, ONCE A-GAIN, HO - LY MASS FOR US THIS
Mes _ se et je vois bien main_te _ nant qu'il y au _
MORN - ING. BUT NOW IT'S CLEAR AS CAN BE THIS MIGHT BE -
_rait à ce_la trop de péril pour lui et pour nous. Vous ne le croyez pas,
COME MUCH TOO DANGEROUS FOR HIM AS WELL AS FOR US. AND DO YOU NOT A-GREE,
Mè_re Ma_ri _ e? (Sœur Gérald sort à gauche)
MOTH-ER MA-RIE?
Mère Marie
très violent
Je me fie à vo_tre Ré_vé _ ren _ ce pour
I MUST RE - LY UP-ON YOUR REV'-RENCE FOR
21
En animant

M. M.
tout ce que je dois dé - sormais croire ou ne pas croi - re,
EV'-RY - THING I SHOULD OR SHOULD-N'T THINK A-BOUT FROM NOW ON.
ff
(Elle va pour sortir vers la gauche)
mais si j'ai eu tort d'a-gir com-me j'ai fait, il n'en res - te pas
BUT IF I WAS WRONG TO ACT THE WAY I DID, IT IS TRUE, ALL THE
(sur le point de sortir)
a Tempo
moins que ce qui est fait est fait.
SAME, ONCE A THING IS DONE IT'S DONE.
Comment accorder l'esprit de no-tre vœu
BUT IS IT IN THE SPIR-IT OF OUR VOW
(se tournant vers les religieuses)
La Prieure
p
Cha-cu - ne de vous répondra
EACH ONE OF YOU WILL AN - SWER TO GOD
(Elle sort)
a-vec cet-te pruden - ce?
TO ACT WITH SO MUCH CAU-TION?
22
Très calme et ineffablement doux
p très doux

Cannes. Avril 53

acte III

Avant le 2e Tableau (No 24) ajouter ceci :

VII

(durée jusqu'au rideau 1'10)

Calme et douloureux

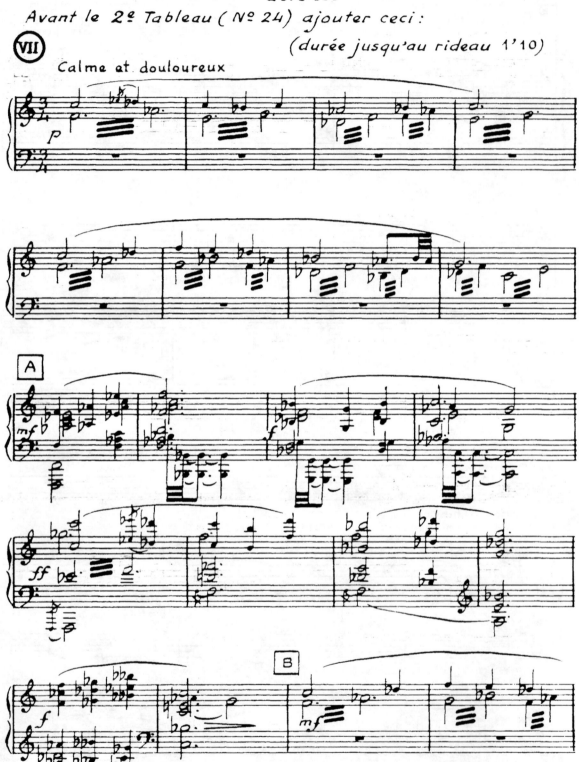

C
mf
f
1'10
D
Rideau lentement. Blanche tisonne son poèle
p
1'30

2e TABLEAU

La bibliothèque du Marquis de la Force, totalement saccagée, est devenue une sorte de pièce hybride. On a monté, dans l'âtre de la grande cheminée, un petit poële bas sur lequel est posée une vulgaire casserole en terre. Tous les meubles sont détériorés. Un lit de sangles est au beau milieu de la pièce. Blanche, vêtue comme une femme du peuple, surveille le feu.

(Mère Marie, en civil, ouvre brusquement la grande porte)

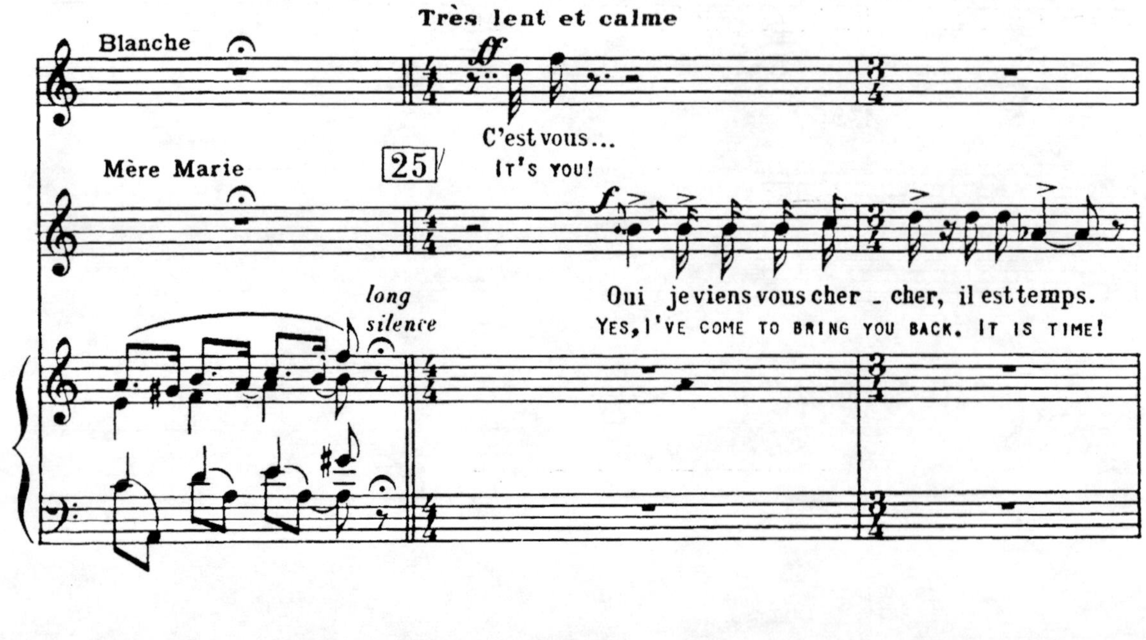

(hagarde)
Bl.
mf
Je ne suis pas li _ bre maintenant, de vous sui_vre... mais... dans quelque temps...
OH, BUT I'M NOT FREE TO GO WITH YOU AT THIS MO—MENT... PLEASE, JUST GIVE ME TIME
pp
peut - ê _ tre.
TILL LAT-ER.
M. M.
f
Non pas dans quelque temps, — mais tout de sui_te. Dans quelques
LAT-ER, NO MY DEAR CHILD, — NOW, NOW AT ONCE! IF YOU DE-
ff
jours il serait trop tard.
LAY IT MAY BE TOO LATE.
26
Tempo agitato
Tempo lent
Trop tard pour quoi?
TOO LATE FOR WHAT?

Bl.
M. M.
Tempo agitato
Tempo lent
Pour vo - tre sa - lut.
TOO LATE TO BE SAVED!
Mon sa - lut...
TO BE SAVED?
subito pp (doux et craintif)
Al - lez-vous di - re que je se - rai en sû - re - té là - bas?
DO YOU BE-LIEVE THAT I WOULD BE SAFE IF I RE-TURNED WITH YOU?
(angoissée)
Je ne puis vous
I CAN-NOT BE-
(fermement mais doucement)
Vous y courrez moins de ris - ques qu'ici, Blan - che.
COME TO US AND YOU'LL BE SAF-ER, BY FAR THAN HERE. —
27
ff subito

Bl.
croi_re: en des temps pa_reils__ est-il une au_tre sé_cu_ri_té que la mienne?
LIEVE YOU. IN TIMES SUCH AS THESE,_ HOW CAN I FIND AN-Y OTH-ER SAFE-TY THAN I HAVE HERE?
pp subito très doux
ff subito
Où je me trou_ve qui pen_se_rait à me chercher? La
THEY'LL NEV-ER FIND ME. WHO'D EV-ER THINK OF LOOK-ING HERE WHEN
pp subito
mort ne frap_pe qu'en haut ..._
DEATH IS STALK-ING THE MIGHT - Y?
p subito
Mais je me sens si fa_ti_gué_e,
BUT I FEEL TIRED AND SO WITHOUT HOPE.
ff subito
pp
(elle grelotte)
(hagarde)
ff
Mè_re Ma_ri - e!
MOTH-ER MA-RIE!_
28
Voi_là mon ra_goût qui brû - le!
LOOK HERE, MY STEW IS BURN - ING!
f

(crié)
Presser
Bl.
C'est votre fau_te! Mon Dieu! Mon Dieu! que vais-je de_venir?
AND IT IS YOUR FAULT! MY GOD! MY GOD! WHAT-EVER WILL I DO?
(Blanche est à genoux devant le feu)
(Blanche sanglote)
(Mère Marie s'est agenouillée aussi, elle se hâte de transvaser le ragoût dans une autre casserole)
Mère Marie
p
Ne vous tourmentez pas, Blanche, voi_là le mal ré_pa_ré
DO NOT TOR-MENT YOURSELF, BLANCHE. YOU SEE, THE DAMAGE IS REPAIRED.
29
Excessivement lent
p
Blanche
(infiniment doux)
mf
Je pleu_re de vous voir si bon_ne.
BE-CAUSE YOU ARE SO KIND AND GEN-TLE.
M. M.
pp
Pourquoi pleu_rez-vous?
BUT WHY DO YOU CRY?
30
pp
mf

(tendrement implorant)
Bl.
Mais j'ai honte aus-si de pleurer.
BUT I FEEL A-SHAMED OF MY TEARS.
Je voudrais qu'on me laisse en paix,
HOW I WISH THEY'D LEAVE ME IN PEACE,...
(au comble de la violence)
Bl.
que per-son-ne ne pensât plus à moi...
AND WOULD NEV-ER THINK OF ME A-GAIN.
31
Qu'est-ce qu'on me re-pro-che,
WHY MUST THEY ALL REPROACH ME?
très marqué
Bl.
qu'est-ce que j'ai fait de mal?
HAVE I DONE THEM AN-Y HARM?
Je n'of-fen-se pas le bon Dieu.
I HAVE NEV-ER SINNED AGAINST GOD.
Presser un peu
Bl.
La peur n'of-fen-se pas le bon Dieu.
FOR FEAR IS NOT A SIN A-GAINST GOD!
Je suis née dans la peur,
I WAS BORN IN FEAR.

Bl.
j'y ai vé_cu, j'y vis en_co_re, tout le monde mépri_se la peur,
I'VE LIVED IN FEAR, I STILL LIVE IN FEAR! ALL THE WORLD DE-SPIS-ES A COW-ARD.
fff
il est donc jus _ te que je vive aus_si dans le mépris.
SO IT IS ON-LY RIGHT THAT I TOO SHOULD BE SCORNED AND DE-SPISED.
ff
(très tendre et émue)
p
Voi_là longtemps que je le pen_se.
I'VE HAD THIS FEEL-ING SINCE I WAS A CHILD.
32
mf
Le seul ê _ tre qui aurait
THERE WAS ON-LY ONE WHO COULD
pu m'em_pê_cher de le di _ re, c'é_tait mon pè _ re. Il est
KEEP ME FROM TALK-ING LIKE THIS, THAT WAS MY FATH - ER. HE IS

(d'une voix sourde)
Bl.
mort. Ils l'ont guil-lo-ti-né voi-là peu de jours.
DEAD. HE DIED ON THE GUILLOTINE ON-LY A WEEK A - GO.
Ped.
(Elle se jette sur le lit de sangles)
33
Dans sa propre maison, moi si in-di-gne de lui et de son nom, quel au-tre
IN THIS HOUSE THAT WAS HIS, I, SO UN-WORTH-Y OF HIM, AND OF HIS NAME, WHAT OTH-ER
rôle ai-je à te-nir que ce-lui d'u-ne mi-sé-ra-ble ser-van-te?
ROLE CAN I AS-SUME BUT THAT OF A VER-Y MIS'R-A-BLE SER-VANT?
(avec une espèce de défi)
Hi-er ils m'ont frappée... Oui, ils m'ont frappée.
THIS MORN-ING I GOT SLAPPED... YES, SLAPPED IN THE FACE.

Mère Marie
Le mal_heur, ma fil_le, n'est pas d'ê_tre mé_pri_sé_e,
THE REAL MIS-FOR-TUNE IS NOT THAT ONE IS DE-SPISED
ff
M. M.
mais seu_le_ment de se mé_pri_ser soi - mê - me.
BUT THAT ONE ENDS BY DE-SPIS - ING HIM - SELF.
(Blanche se lève d'un bond et se tient debout, les yeux secs)
Blanche
ff
Ma. Mè - re?
MY MOTH - ER?
M. M.
6
Sœur Blanche de l'A_go_nie du Christ!
SIS-TER BLANCHE OF THE AGONY OF CHRIST!
ff
M. M.
ff
Je vais vous don_ner une a_dres_se. Re_te_nez_la bien.
34
I SHALL NOW GIVE YOU AN AD-DRESS. MEM-O-RIZE IT WELL!
ff

M.
M.
Ma-de-moi-sel-le Ro-se Du-cor, 2 rue Saint-De - nis.
MA-DE-MOI-SELLE ROSE DU-COR, 2 RUE SAINT DE - NIS.
fff
mf
Vous se-rez chez elle en sû-re-
YOU WILL BE COM - PLETE - LY SAFE WITH
(En insistant sur les mots)
pp
-té.
HER.
f
Ro-se Du - cor... 2 rue Saint-De - nis.
ROSE DU - COR, 2 RUE SAINT DE-NIS.
Très doucement mais fermement
Je vous at-tendrai là jusqu'à demain soir.
I SHALL A - WAIT YOU THERE, TILL TOMORROW NIGHT.
35

Blanche (morne)
p
Je n'i-rai pas. Je ne peux pas y al-ler.
I WILL NOT GO. I AM NOT READ - Y TO GO.
(noblement mais avec douceur)
Mère Marie
f
Vous i-rez. Je sais que vous i - rez, ma Sœur.
YOU WILL GO, I KNOW THAT YOU WILL GO MY CHILD.
36
Molto agitato
ff
(d'une voix éraillée. Exagérément articulé)
Une voix de femme en coulisse
ff
Blan-che, les commissions!
BLANCHE, ARE YOU NOT DONE?
Lentement
molto agitato
ff
(Blanche se sauve par la petite porte)
(Mère Marie, un instant interdite, s'esquive par la grande porte.)
Lent
long silence
ff
RIDEAU SPÉCIAL
pp
Cannes, Avril-Mai 55

VIII

Acte III

Après le baisser du rideau du 2e tableau et un long silence attaquer le morceau suivant (1' 30). Supprimer à 37 *le "tambour", mais ensuite laisser le "wood-block".*

et se parlent à voix basse
pp
ppp
Entre un vieux noble qu'on vient d'arrêter. (Groupe de sans-culottes avec des piques)
B
8a
mf
pp
après un long silence attaquer la réplique de la 1re vieille

II. INTERLUDE

Devant un rideau spécial représentant une rue du quartier de la Bastille.

(Entrent en scène deux vieilles femmes et un vieux monsieur. Rumeur en coulisse, bruit de tambour.)

Dans le tempo exact de la fin du tableau précédent

très nombreuses reprises ad libitum

37

Tambour

1ère Vieille
M'est avis que nous ne sommes point au bout de nos peines.
1ST OLD WOMAN
IF YOU ASK ME, WE'VE NOT YET SEEN THE END OF OUR TROUBLES.

Le Vieux Monsieur
Il est vrai que la vie à Paris devient de plus en plus difficile!
OLD MAN
YES...LIFE IN PARIS IS BECOMING MORE AND MORE DIFFICULT.

(Blanche entre en scène; elle porte un petit cabas d'où dépassent des salades)

2e Vieille
Oh! elle n'est point meilleure autre part, Monsieur.
2ND OLD WOMAN
OH, IT'S NOT ANY BETTER ANYWHERE ELSE, MONSIEUR.

1ère Vieille
Sinon pire. Moi, je suis de Nanterre.
1ST OLD WOMAN
IF NOT WORSE. ME, I COME FROM NANTERRE

2e Vieille
Et moi de Compiègne.
2ND OLD WOMAN
AND I FROM COMPIEGNE.

Blanche (d'une voix altérée)

Vous venez de Compiègne?
BLANCHE
YOU COME FROM COMPIEGNE?

2e Vieille
Oui, ma belle. J'en vins hier, avec une carriole de légumes.
2ND OLD WOMAN
YES, MY PRETTY ONE, I LEFT YESTERDAY, WITH A WAGON FULL OF VEGETABLES.

Il y a là-bas deux douzaines de mauvais drôles qui ont peur les uns des autres, et qui, pour se rassurer, font du bruit comme six cents. Avant-hier ils ont arrêté ces dames du Carmel.
THEY HAVE SOME BAD ONES DOWN THERE WHO ARE SCARED TO DEATH OF EACH OTHER, AND BUILD UP THEIR COURAGE BY MAKING ENOUGH NOISE FOR AN ARMY. DAY BEFORE YESTERDAY THEY ARRESTED THOSE LADIES OF CARMEL.

C'est-y que vous avez là des parentes?
DO YOU HAVE ANY RELATIVES DOWN THERE?

Tam-tam

laisser vibrer

Blanche
Oh! non, Madame. Et d'ailleurs je ne suis jamais allée à Compiègne. Voilà seulement huit jours que je suis arrivée à Paris, venant de la Roche-sur-Yon, avec mes patrons.
BLANCHE
OH NO, MADAME. BESIDES I'VE NEVER EVEN BEEN IN COMPIEGNE. IT'S ONLY EIGHT DAYS AGO THAT I ARRIVED IN PARIS WITH MY EMPLOYERS. WE CAME FROM MARSEILLES.

1ère Vieille
Drôle de servante, ma fine.
(Tous sortent)
1ST OLD WOMAN
SHE DOESN'T FOOL ME FOR A MINUTE.

très nombreuses reprises ad libitum

Tambour

attaquer de suite le Tableau III

3e TABLEAU

A la Conciergerie. Cellule où sont entassées les Carmélites. Quelques vieux bancs. Une chaise misérable, sur laquelle est assise la Prieure. Fenêtre à barreaux donnant sur une cour sombre. Lourde porte. C'est le petit jour.

La Pr.
-chè - ve no-tre premiè-re nuit de pri-son. C'é-tait la plus dif-fi-ci-le.
COME TO THE END OF OU-R FIRST NIGHT IN PRIS-ON. BE-LIEVE ME, BY FAR THE HARD-EST.
Nous en sommes ve-nues à bout quand mê - me. La pro-chai-ne nous trouve-
AND YET WE'VE REACHED THE END IN SPITE OF ALL. BY TO- MOR-ROW-MORNING WE WILL
p
-ra tout à fait fa-mi-lia-ri-sé-es a-vec no-tre nouvel-le con-di-tion
ALL BE FA-MIL-IAR WITH OUR NEW SUR-ROUNDINGS AND QUITE AC-CUSTOMED TO THE DIS-CI-PLINE,
qui d'ailleurs n'est pas nou-vel-le pour nous; il n'est, en som-me, de chan-
WHICH, I MUST AD-MIT IS NOT NEW TO US, AS IT IS REAL-LY NOTH-ING
mf
40
mf

8va basse
facultatif
loco
mf
La Pr.
-gé que le dé-cor. Nul ne saurait nous ra-vir u-ne li-ber-té
MORE THAN A CHANGE OF SCENE. NO - ONE COULD EV-ER DE-PRIVE US OF LIBER-TY
f
dont nous nous sommes dépouil-lé-es depuis long-temps.
THAT WE SO LONG A - GO SUR-REN-DERED OF OUR FREE WILL.
41
Mes fil-les, c'est en mon ab-sen-ce que vous a-vez pro-non-
MY DAUGHT-ERS, WHILE I WAS IN PAR - IS, YOU ALL DE-CID-ED TO
-cé ce vœu du mar-ty-re. Mais qu'il fût ou non op-por-
TAKE THE VOW OF MAR-TYR-DOM. BUT WHETH-ER THIS WAS WISE OR

La Pr.
-tun, Dieu ne sau-rait per - met - tre qu'un ac - te si gé - né -
NOT, GOD SURE - LY WILL NOT SUF - FER THAT SUCH AN HE - RO - IC
-reux ne ser - ve main - te - nant qu'à troubler vos cons - cien - ces.
DEED SHOULD NOW RETURN TO TROU - BLE YOU AND PLAGUE YOUR CON - SCIENCE.
mf
42
Hé bien, j'as - su - me ce vœu, j'en suis dé - sor -
SO WILL I JOIN IN THE VOW. FROM THIS MO - MENT
f
-mais responsa - ble, je suis et se - rai, quoiqu'il ar - ri - ve, seu - le
ON WE'RE TOGETHER AND I SHALL REMAIN, WHAT - EV - ER HAP - PENS THE

La Pr.
ju - ge de son ac - complis-se-ment. Oui, j'en prends la
SOLE JUDGE OF HOW THIS VOW IS FUL-FILLED. AH, I TAKE THE
charge et vous en laisse le mé - ri - te, puisque je ne l'ai pas prononcé moi-
BUR-DEN AND I LEAVE YOU ALL THE MER - IT, SINCE I DIDN'T AC - KNOWL - EDGE THE VOW MY-
(très doux)
mê - me. Ne vous faites donc plus là-des - sus au-cun sou - ci, mes
SELF. SO YOU SURELY HAVE NO MORE CAUSE TO BE DIS-TURBED, MY
43
pp très doux
fil - les. J'ai toujours ré - pon - du de vous en ce mon - de,
DAUGH - TERS. I HAVE AL-WAYS BEEN READ - Y TO AN-SWER FOR ALL OF YOU,

La Pr.
et je ne suis pas aujourd'hui d'hu _ meur à me te_nir, moi-mê - me,
BUT I'VE NOT THE SLIGHTEST DE-SIRE, AS FAR AS IT IN-VOLVES MY-SELF, OF A-
quit_te de quoi que ce soit. ___
VOID -ING WHAT-EV-ER MAY COME. ___
44
(très doux)
p
Soy_ez tran_
YOU NEED NOT
_quil - les!
FEAR. ___
Mère Jeanne
p
A_vec vo_tre Ré_vé_
WHILE YOUR REV-ER-ENCE IS

M. J.
-ren - ce, nous n'au-rons plus peur de rien.
WITH US, WE SHALL FEAR NO MAN ON EARTH.
m d
(ineffablement doux)
La Prieure
pp
dolcissimo
Au jar-din des O-li-viers, le
45
STAND-ING ON THE MOUNT OF OL-IVES, CHRIST, HIM-
pp très doux
La Pr.
Christ n'était plus maî-tre de rien. Il a eu peur de la mort.
SELF WAS NO LONG-ER MAS-TER. HE KNEW THE FEAR OF DEATH.
Sœur Constance
f librement
Et que devient sœur Blan-che?
46
AND WHAT OF SIS-TER BLANCHE?
ppp
sf

(librement)
La Pr.
Je n'en sais pas plus long là-des_sus que vous, ma pe_ti_te fil - le.
I REAL - LY DO NOT KNOW AN-Y MORE THAN YOU, DEAR-EST LIT-TLE DAUGH-TER.
Sœur Constance
El_le re_viendra.
SHE WILL YET RE-TURN.
Sœur Mathilde
Comment donc en ê_tes-vous si sû_re,
TELL US WHY YOU SEEM TO BE SO CER-TAIN,
Extrêmement calme
Sr C.
Par_ce que ... par_ce que ...
WELL, BE-CAUSE... JUST BE-CAUSE...
Sr M.
Sœur Constan_ce?
DEAR SIS-TER?
(toutes les Carmélites, la Prieure exceptée... éclatent de rire.)
(La porte s'ouvre brusquement. Entrée du geôlier. Il déplie un édit.)
Sr C.
A cau_se d'un rê_ve que j'ai fait.
BE-CAUSE OF A DREAM I HAVE HAD.
long

(il lit)
Le Geôlier
47
Sourdement agité
m.d.
m.g.
f
Ped.
sans changer
Le tri_bu_
THE TRI-
_nal ré_vo_lu_tion _nai_re ex _ po_se que les
BU-NAL OF THE RE-VO - LU-TION DE - CLARES THAT THE FOR-MER
Le G.
ex - re_li_gieu_ses car_mé _ li _ tes, de_meu _
SIS-TERS OF THE OR - DER OF CAR - MEL, WHO RE-
_rant à Compiè_gne, dé_par_te_ment de l'Oi_se, Ma_de_
SIDE IN COM-PIE-GNE, DE-PART-MENT OF THE OISE, MA-DE-
céder un peu

Le plus vite possible mais très articulé
Le G.
_lei_ne Lidoine, An_ne Pel_le_rat, Ma_de _ lei_ne Tou_ret, Ma_rie-Anne Hanni_set, Ma_rie-
LEINE LI-DOINE, - ANNE PEL-LE-RAT, MA-DE - LEINE TOU-RET, MA-RIE ANNE HAN-NI-SET, MA-RIE
48
suivre le chant
p stacc. (pizz.)
An_ne Piedcourt, Marie-An_ne Bri_deau, Ma_rie Cy_pri_en_ne Bra_re.
ANNE PIED-COURT, MA-RIE ANNE BRI-DEAU, MA - RIE CY-PRI-ENNE BRARE. __
Ro_se Chrétien, Ma_rie Du_four, An_gé_li_que Rous_sel, Ma_
ROSE CHRE-TIEN, MA-RIE DU-FOUR, AN-GE-LIQUE ROUS-SEL, MA-
_rie-Ga_bri_el_le Tré_zel_le, Ma_rie-Ge_ne_viè_ve Meunier, Ca_the_
RIE GA-BRI-ELLE TRE-ZEL-LE, MA-RIE GE-NE-VIEVE MEU-NIER, CA-THE-

Le G.
-ri-ne Soiron, Thé-rè-se Soiron, E-li-sa-beth Ve-zo-lot,
RINE SOIR-ON, THÉ-RÈSE SOIR-ON. É-LI-SA-BETH VE-ZO-LOT,
ff
ont for-mé des rassemble-ments et con-ci-lia-bu-les
GATH-ERED IN DE-FI-ANCE OF THE LAW, IN SE-CRET MEET-INGS,
49
f
con-tre-ré-vo-lution-nai-res, en-tre-te-nu des cor-
AIMED A-GAINST THE RE-VO-LU-TION, AL-SO EN-GAGED IN COR-RE-
-respondances fa-na-tiques, conser-vé des é-crits li-ber-ti-ci-des. Ne
SPOND-ENCE WITH OUR EN-E-MIES, SPREAD-ING RU-MORS MOST DAN-GER-OUS TO FREE-DOM WHERE-

50
en animant très progressivement
Le G.
for_ment qu'u_ne ré_u_nion de re_bel_les, de sé_di_tieu_ses,
AS THEY CON-STI-TUTE A BOD-Y OF REB-ELS, O-PEN-LY SE-DI-TIOUS,
Le G.
qui nourrissent dans leurs cœurs le dé_sir et l'es_poir cri_mi_nel de
WHO MAIN-TAIN WITHIN THEIR HEARTS THE MOST CRIMINAL DE-SIRE AND HOPE TO
Le G.
voir le peu_ple fran_çais re_mis aux fers de ses tyrans
SEE THE PEOPLE OF FRANCE EN-SLAVED ONCE MORE BY TY-RANTS,
Le G.
et la li_ber_té en_glou_tie dans des flots de sang que
SEE THEIR FREE-DOM DROWNED IN THE TOR-RENTS OF BLOOD WHICH ALL THEIR

Le G.
leurs in_fâ_mes ma_chi_na_tions ont fait ré_pandre au nom du
TREACH-ER - Y AND E - VIL DESIGNS HAVE BROUGHT A - BOUT IN THE NAME OF
ciel.
GOD.
céder beaucoup ♩ = 54
51
ff
Le tri_bu_
THE TRI-
_nal ré_vo_lu_tion_nai_re dé_cla_re en con_sé_
BU - NAL OF THE RE - VO - LU - TION, FOR THE SAFE - TY OF THE RE-
_quen_ce que tou_tes les pré_ve_nues sus_nom_mé_es
PUB - LIC HAS DE - CID - ED THAT THE A - FORE - MEN - TIONED WOM - EN

(Le geôlier replie son édit.
Toutes les religieuses baissent la tête.)

La Pr.
mf
car je vous ai ai - mées dès le pre_mier jour
FOR, EV - ER SINCE THE DAY THAT I MET YOU ALL,
comme u - ne mè - re se - lon la na - tu - re, et quel - le
I TRU - LY LOVED YOU WITH A MOTH - ER'S LOVE. AND WOULD A
f
mè - re fait de bon gré, fût-ce à Sa Ma - jes - té el - le - mê - me, le
MOTH - ER CARE TO SEE, WERE IT E - VEN THE KING WHO DE-SIRED IT.. THE
sa - cri - fi - ce de ses en_fants? Si j'ai mal
SAC-RI- FICE OF HER CHIL - DREN? IF I'VE DONE
54

La Pr.
fait, Dieu y pour_voi_ra. Tel_le que je
BAD - LY, GOD WILL DE - CIDE. AND SUCH AS I
55
suis, vous ê_tes mon bien, et je ne suis pas de
AM, YOU'RE ALL I POS - SESS; I AM NOT THE KIND OF
cel_les qui jet_tent leur bien par la fe_nê_tre.
WO-MAN WHO THROWS OUT HER WEALTH FOR NO GOOD REA - SON.
56
p
Mes fil_les, je vous mets so_lennel_lement
MY DAUGHT - ERS, NOW THAT WE ARE REACHING THE END,

Le Tremblay - Tourettes-sur-Loup
Juillet - Août 55

III. INTERLUDE

(devant le rideau)

Mère Marie
Tou_tes?
ALL OF THEM?
Dieu! et...
GOD! AND....
L'A.
Tou_tes!
ALL OF THEM!
Ce se_ra pour aujour_
IT WILL HAPPEN LATE TO-
(Mère Marie s'écarte)
L'A.
_d'hui sans doute, ou demain...
NIGHT, I'M TOLD, OR TO-MOR-ROW.
Que
WHAT-
59
Mère Marie
Je ne peux pas les lais_ser mou_rir sans
CAN I RE-MAIN HERE WHEN THEY'RE A-BOUT TO
L'A.
fai-tes-vous, ma Mè_re?
EV-ER ARE YOU DO-ING?

M. M.
moi!
DIE?
L'A.
Qu'im_por_te vo_tre vo_lon_té en cette af_
OF WHAT IM -PORTANCE IS YOUR WISH — AT SUCH A
_fai _ re?
MO - MENT?
Dieu choisit ou ré_ser_ve qui lui plait.
GOD WILL CHOOSE OR REJECT WHOM HE PLEASES.
60
J'ai fait le vœu du mar_ty _ re...
I TOOK THE MAR-TYR'S VOW...
Tempo exact du "vœu du martyre"
C'est à Dieu que vous l'a_vez fait,
IT WAS GOD WHO AC-CEP-TED YOUR VOW,
c'est à Lui que vous en de_vez répon_dre et non pas à vos compa_gnes.
IT IS TO HIM A-LONE THAT YOU WILL ANSWER AND NOT TO YOUR COMPANIONS.

(très doux)
p subito
L'A.
S'il plaît à Dieu de vous en re_le_ver, il ne re_
AND SHOULD HE CHOOSE TO FREE YOU FROM YOUR WORD, THEN HE IS
61
pp
Mère Marie
ff
Je suis des_ho_no_ré_e!
O GOD, I AM DIS-HON-ORED!
L'A.
_prend que ce qui lui ap_par_tient.
SIM-PLY TAK-ING BACK WHAT IS HIS.
M. M.
Leur der_nier re_gard me cher_che_ra en vain.
IN THE MO-MENT OF DEATH THEIR GAZE WILL SEEK ME IN VAIN.
ff
(très doux)
(Ils sortent)
L'A.
p
Ne pensez qu'à un au_tre regard, auquel vous devez fixer le vôtre.
THINK OF ON-LY THE GAZE OF AN-OTH-ER, ON WHICH YOU SHOULD FAS-TEN YOUR OWN.
pp
p
attaquer de suite le Tableau IV

Acte III

IX

Avant le 4e tableau, attaquer immédiatement après l'interlude (Mère Marie et l'Aumônier) la marche suivante (durée 2'35")

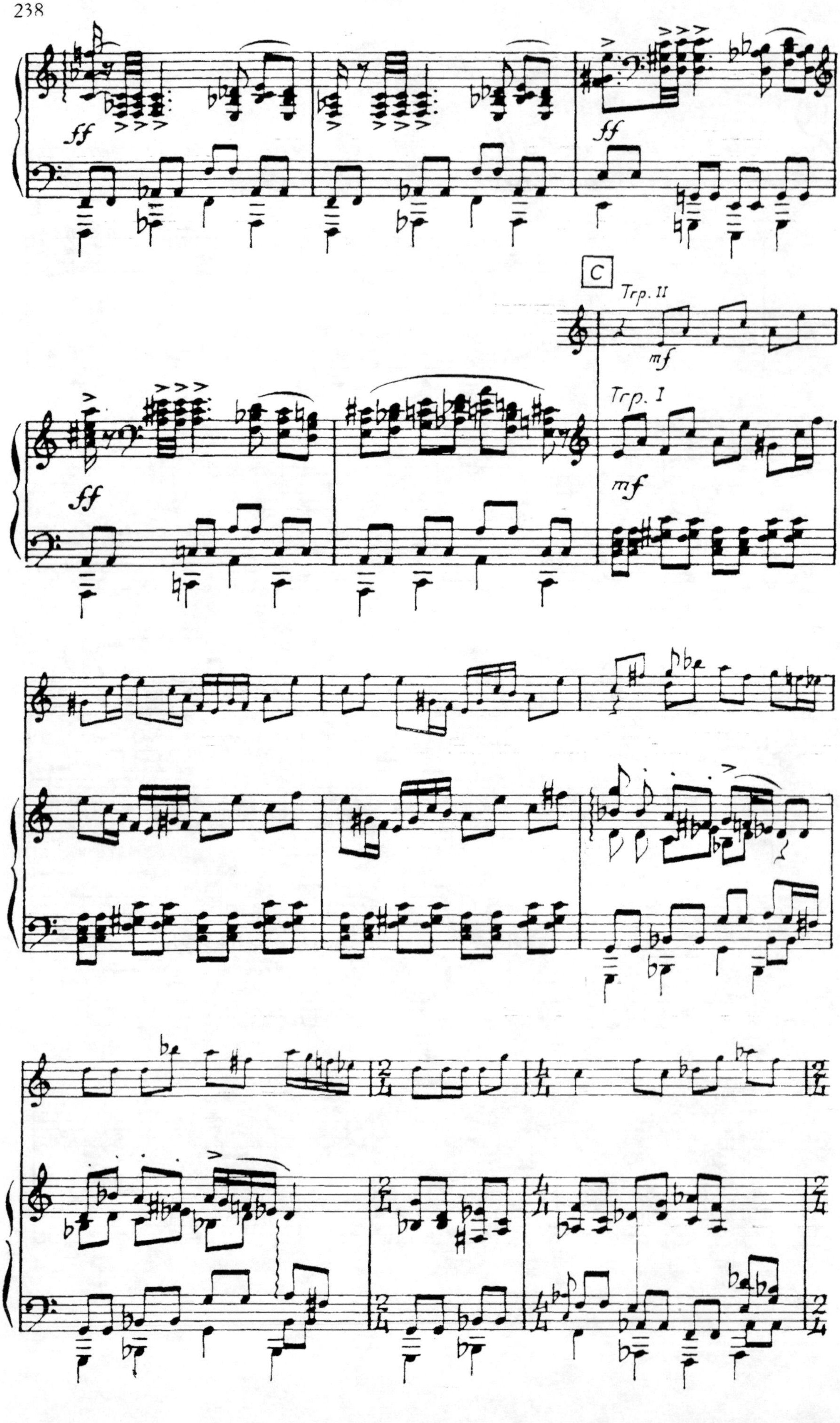
ff
ff
C
Trp. II
mf
Trp. I
ff
mf

D
ff
E
Rideau. La foule se masse sur la place en attendant les pramiers condamnés
2'
ff
F
8a
ff
fff
62
enchaîner
directement

4e TABLEAU

Place de la Révolution. Sur la droite, les Carmélites achèvent de descendre des charrettes. Au lever du rideau, on aide la vieille Mère Jeanne à descendre. Constance, en dernier, saute presque joyeusement. Alors les Carmélites, Prieure en tête, s'acheminent vers l'échafaud en chantant. On ne voit que la base de l'échafaud où les Sœurs montent une à une. Au premier rang de la foule compacte et sans cesse en mouvement, on reconnaît, coiffé d'un bonnet phrygien, l'Aumônier qui murmure l'absolution, fait un furtif signe de croix, lorsque montent les premières Carmélites, puis disparaît rapidement.

* La rumeur de la foule est toujours moins intense que le chant des Carmélites.

(La Foule)
Sop.
Alt.
Tén.
Bas.
pp
Oh!
La Prieure, Sœur Constance, 6 Carmélites
Sop.
Sal - ve Re - gi - na ma -
Mère Jeanne, Sœur Mathilde, 5 Carmélites
Mez.
Sal - ve Re - gi - na ma -
63
-ter mi - se - ri - cor - di - æ, vi - ta, dul -
-ter mi - se - ri - cor - di - æ, vi - ta,
sans crescendo

Sop.
Alt.
Ten.
Bas.
Sop.
ce - do et spes nos - tra, sal - ve et
p
Mez.
ce - do et spes nos - tra, sal - ve et
p
ff sec
oï
mf
a
Guillotine moins la Prieure
mf
spes nos - tra sal - ve.
ff à 7
Sal - ve Re -
64
ff
et lourd.

Sop.
Alt.
Tén.
Bas.
a
Sop.
Mez.
gi - na, Ma - ter mi - se - ri - cor - di_æ,
f
Guil.
à 7
à 6
vi - ta dul - ce - do, et spes nos - tra

Sop.
Alt.
Ten.
Bas.
mf
O
o
Sop.
Mez.
ff
sal - ve.
Sal - ve Re - gi - na, ma -
65
ter mi - se - ri - cor - di - æ, vi - ta dul -
Tén.
a

Sop.
Alt.
Ten.
Bas.
a
a
a
Sop.
Mez.
a 6
-ce - do et spes nos - tra sal - ve.
a 6
-ce - do et spes nos - tra sal - ve.
mf
o
o
o
o
f
Ad te cla - ma - mus ex - su - les fi - li -
a 6
a 5
66
Ad te cla - ma - mus ex - su - les fi - li -

67
Sop.
Alt.
Tén.
Bas.
Mez.
mf
à 5
à 4
a
i He - vae
ad te sus - pi -
ra - mus ge - men - tes et

Sop.
Alt.
Tén.
Bas.
mf très lié
mf
a
Sop.
Mez.
à 4
f
flen - tes Ad te sus-pi - ra - mus ge -
à 4
flen - tes Ad te sus-pi - ra - mus ge -
68
-men - tes et flen - - tes in hac la-cri-
à 3
-men - tes et flen - - tes in hac la-cri-

Sop.
Alt.
o
Tén.
a
Bas.
o
a
a
Sop.
ma - rum, la - - cri - ma - rum val - le
Mez.
ma - rum, la - - cri - ma - rum val - le
Sop.
ou
ou
Alt.
ou
ou
Tén.
ou
ou
Bas.
ou
ou
pp
à 3
Sop.
E - ia er - go, ad - - vo - ca - ta
à 3
Mez.
E - ia er - - go, ad - - vo - ca - ta
69
gliss.
8
pp

Sop.
Alt.
Tén.
Bas.
ou
ou
ou
ou
Sop.
Mez.
à 3
à 2
nos - tra, il - - los tu_os mi_se_ri - cor - des o - cu.
nos - tra, il - - los tu_os mi_se_ri - cor - des o - cu.
p
ou
a
Sr Constance
Sr Mathilde
1 Carmélite
Mère Jeanne
f
_los ad nos con - ver - te. Et Je -
_los ad nos con - ver - te. Et Je -
70
m.g.
mf

Sop.
Alt.
Tén.
Bas.
a
a
Srs C. et M.
ff
sum be - ne - dic - tum fruc - tum en -
1 C. M. J.
ff
sum be - ne - dic - tum fruc - tum ven -
Sop.
Alt.
Tén.
Bas.
f
a
Srs C. et M.
f
- tris tu - i, no - bis post hoc ex -
M. J.
a 1
f
- tris tu - i, no - bis post hoc ex -

Sop.
Alt.
Ten.
Bas.
ppp
a
ppp
a
ppp très expressif
(bouche fermée)
ppp très expressif
(bouche fermée)
Sœur Constance
pp très doux
Srs C. et M.
-si - li - um os - ten - de.
o
M. J.
pp tres doux
-si - li - um os - ten - de.
o
71
pp
Sop.
Alt.
Ten.
Bas.
Sr C.
cle - mens, o pi - - a, o dul - cis Vir - go Ma -
M. J.
cle - mens, o pi - - a, o dul - cis Vir - go Ma -

ppp
Sop.
a
ppp
Alt.
a
Tén.
Bas.
Sr C.
ri - a, o dul - cis Vir - go Ma - ri - a
M. J.
ri - a, o dul - cis Vir - go Ma -
Sop.
pp
Alt.
oh oh oh
pp
Tén.
oh oh oh
pp
Bas.
oh oh oh
(Blanche, le visage dépouillé de toute crainte, se fraye un passage dans la foule où elle se confond.)
(Constance l'aperçoit. Son visage s'irradie de bonheur. Elle s'arrête un court instant.)
ppp très doux
Sr C.
O cle - mens...
72
pp
pp

Sop.
Alt.
Tén.
Bas.
pp
O
(Reprenant sa marche à l'échafaud, elle sourit doucement à Blanche)
73
Sr C.
O pi - a, o
ppp
(Incroyablement calme, Blanche émerge de la foule stupéfaite et monte au supplice.)
dul - cis Vir - - go Ma -

Un peu plus lent et extraordinairement calme
Sop.
Alt.
Tén.
Bas.
pp
a
Blanche
De - o Pa-tri sit glo-ri-a
Et Fi-li-o
74
Bl.
qui a mor-tu-is
Sur - rexit ac Pa - ra-cli-to.

FIN DE L'OPERA

Tourettes-sur-Loup, Août 55

BUCHARDT, GRAV.

RICORDI OPERA VOCAL SCORES

BELLINI
- **I Capuleti e i Montecchi** (42043/05)
- **Norma** (41684/05; 41684/04 ril. in tela e oro)
- **Il pirata** (108189/05)
- **I Puritani** (41685/05; 41685/04 ril. in tela e oro)
- **La sonnambula** (41686/05; 41686/04 ril. in tela e oro)
- **La straniera** (108100/05)

BOITO
- **Mefistofele** (44720/05; 46855/05 testo in ing., it.)
- **Nerone** (119599/06 ril. in mezza pelle)

CATALANI
- **Loreley** (54916/05)
- **La Wally** (95257/05)

CIMAROSA
- **Le astuzie femminili** (124388/03)
- **L'Italiana in Londra** (132596/05)
- **Il marito disperato** (132327/03)
- **Il matrimonio segreto** (131862/03, it., ted.)

DONIZETTI
- **Anna Bolena** (45415/05; 45415/04, ril. in tela e oro)
- **Il campanello** (136119, ed. critica)
- **Don Pasquale** (42051/05; 42051/04, ril. in tela e oro; 131527/03, it., ted.; 132875/05 ing., it.)
- **L'elisir d'amore** (41688/05; 41688/04, ril. in tela e oro)
- **La favorita** (135547, ed. critica, fr., it.)
- **La figlia del reggimento** (46263/05)
- **Linda di Chamounix** (42056/05)
- **Lucia di Lammermoor** (41689/05; 41689/04, ril. in tela e oro; 130646/03, ted.)
- **Lucrezia Borgia** (41690/05)
- **Maria Stuarda** (134916, ed. critica)
- **Rita** (129213/05, it., ted.)
- **Roberto Devereux** (42047/05)

GALUPPI
- **Il filosofo di campagna** (128632/05)

GLUCK
- **Alceste** (49139/05)
- **Orfeo ed Euridice** (46289/05; 46289/04, ril. in tela e oro)

GOUNOD
- **Faust** (53127/05)

HAENDEL
- **Il Messia** (129624/05, ing., it.)

JOMMELLI
- **L'uccellatrice** (128657/05)

MASCAGNI
- **Iris** (102181/05)

MOZART
- **Bastiano e Bastiana** (128899/05, it., ted.)
- **Così fan tutte** (130130/05)
- **Don Giovanni** (129777/05; 129777/04 ril. in tela e oro)
- **La finta semplice** (128929/05, it., ted.)
- **Il flauto magico** (129606/05, it., ted.)
- **Le nozze di Figaro** (37804/05; 37804/04, ril. in tela e oro)

PAISIELLO
- **Il barbiere di Siviglia** (46102/05)
- **Nina o sia La pazza per amore** (132843/05, ed. riv.)

PERGOLESI
- **La serva padrona** (45390/05; 45390/04 ril. in tela e oro)
- **Stabat Mater** (123718)

PONCHIELLI
- **La Gioconda** (44864/05; 47470/05 ing., it.)

PUCCINI
- **La bohème** (99000/05; 99000/04, ril. in tela e oro; 115494/05 ing., it.)
- **Edgar** (110490/05)
- **La fanciulla del West** (113300/05; 113483/05 ing., it.)
- **Madama Butterfly** (110000/05; 110000/04, ril. in tela e oro; 129166/05 ing., it.)
- **Manon Lescaut** (97321/05, ing., it.; 97321/04 ril. in tela e oro)
- **Tosca** (135431/05, ed. critica, ing., it.; 135431/04 ed. critica ril.)
- **Il trittico (Gianni Schicchi, Suor Angelica, Il tabarro)** (138884/05; 138884/04 ril. in tela e oro)
- **Turandot** (121329/05, ing., it.; 126838/05, it., ted.; 126838/04 it., ted., ril. in tela e oro)
- **Le Villi** (49457/05)

ROSSINI
- **L'assedio di Corinto** (87408/05)
- **Il barbiere di Siviglia** (131809, ing., it., ed. critica; 131809/01, ing., it., ed. critica, ril. in tela e oro; 131295/05, ed. critica, it., ted.)
- **La cambiale di matrimonio** (113280/05)
- **La Cenerentola** (45707/05; 45707/04, ril. in tela e oro)
- **Le comte Ory** (42050/05; 132876/05, ing.)
- **La donna del lago** (133191, ed. critica)
- **La gazza ladra** (132722, ing., it., ed. critica)
- **Guglielmo Tell** (40041/05)
- **L'Italiana in Algeri** (132118, ing., it., ed. critica; 135226/03, ed. critica, it., ted.)
- **Il signor Bruschino** (133893, ing., it., ed. critica)
- **Stabat Mater** (49182)
- **Tancredi** (132572, ed. critica)
- **Il Turco in Italia** (132838, ing., it., ed. critica)

SPONTINI
- **La vestale** (44686/05; 44686/04, ril. in tela e oro)

VERDI
- **Aida** (42602/05; 42602/04 ril. in tela e oro; 44628/05 ing., it.; 129832/05 it., ted.)
- **Alzira** (53706/05)
- **Aroldo** (42306/05)
- **Attila** (53700/05; 53700/04 ril. in tela e oro)
- **Un ballo in maschera** (48180/05; 48180/04, ril. in tela e oro)
- **La battaglia di Legnano** (53710/05)
- **Il corsaro** (53714/05)
- **Don Carlo** (48552/05, in 4 atti; 48552/04, in 4 atti, ril. in tela e oro; 51104/05, in 5 atti; 131240/05 ted., it.)
- **Don Carlos** (132213/03 , ed. critica, ed. integrale 4 e 5 atti)
- **I due Foscari** (42307/05)
- **Ernani** (133716, ing., it., ed. critica)
- **Falstaff** (96342/05, ing., it.; 96342/04 ril. in tela e oro)
- **La forza del destino** (41381/05; 41381/04 ril. in tela e oro)
- **Un giorno di regno ossia Il finto Stanislao** (53708/05)
- **Giovanna d'Arco** (53712/05)
- **I Lombardi alla prima Crociata** (42309/05)
- **Luisa Miller** (42310/05; 42310/04, ril. in tela e oro)
- **Macbeth** (42311/05; 42311/04, ril. in tela e oro; 120841/03, ted.)
- **I masnadieri** (53702/05)
- **Messa da requiem** (134164, ed. critica)
- **Nabucodonosor** (134570, ing., it., ed. critica; 138771, ted., ed. critica)
- **Oberto conte di S.Bonifacio** (137473/05)
- **Otello** (52105/05, ing., it.; 52105/04 ril. in tela e oro)
- **Rigoletto** (133539, ing., it., ed. critica; 135773, ted., ed. critica)
- **Simon Boccanegra** (47372/05; 47372/04, ril in tela e oro)
- **La traviata** (42314/05; 42314/04, ril. in tela e oro; 133060/05 ing., it.; 137341, it., ing., ed. critica)
- **Il trovatore** (42315/05; 42315/04 ril. in tela e oro; 109460/05 ing., it.; 136183, it., ing., ed. critica)
- **I vespri siciliani** (50278/05)

ZANDONAI
- **Conchita** (113740/03)
- **Francesca da Rimini** (115450/05)